CHINESE MADE EASY FOR KIDS

1

Textbook

Traditional Characters Version

輕鬆學漢語 少兒版（課本）

Yamin Ma

Joint Publishing (H.K.) Co., Ltd.

三聯書店（香港）有限公司

Chinese Made Easy for Kids *(Textbook 1)*

Yamin Ma

Editor	Luo Fang
Art design	Arthur Y. Wang, Annie Wang, Yamin Ma
Cover design	Arthur Y. Wang, Zhong Wenjun
Graphic design	Zhong Wenjun
Typeset	Zhong Wenjun, Lin Minxia

Published by
JOINT PUBLISHING (H.K.) CO., LTD.
Rm. 1304, 1065 King's Road, Quarry Bay, Hong Kong

Distributed in Hong Kong by
SUP PUBLISHING LOGISTICS (HK) LTD.
3/F., 36 Ting Lai Road, Tai Po, N.T., Hong Kong

First published July 2005
Sixth impression May 2010
Copyright©2005 Joint Publishing (H.K.) Co., Ltd.

E-mail:publish@jointpublishing.com

輕鬆學漢語 少兒版 （課本一）

編　著　馬亞敏

責任編輯	羅　芳
美術策劃	王　宇　王天一　馬亞敏
封面設計	王　宇　鍾文君
版式設計	鍾文君
排　版	鍾文君　林敏霞

出　版	三聯書店（香港）有限公司
	香港鰂魚涌英皇道1065號1304室
香港發行	香港聯合書刊物流有限公司
	香港新界大埔汀麗路 36 號 3 字樓
印　刷	中華商務彩色印刷有限公司
	香港新界大埔汀麗路 36 號 14 字樓
版　次	2005年7月香港第一版第一次印刷
	2010年5月香港第一版第六次印刷
規　格	大16開(210×260mm)128面
國際書號	ISBN 978-962-04-2487-8

© 2005 三聯書店（香港）有限公司

Acknowledgements

The author is grateful to all the following people who have helped to bring the books to publication:

- 李昕先生、陳翠玲女士 who trusted my ability and expertise in the field of Chinese language teaching and learning, and offered support during the period of publication.
- Editor, 羅芳, graphic designers, 鍾文君 、林敏霞 for their meticulous work. I am greatly indebted to them.
- Art consultants, Arthur Y. Wang and Annie Wang, whose guidance, creativity and insight have made the books beautiful and attractive. Artists, 龔華偉 、陸穎 、萬瓊 、張樂民 、吳蓉蓉 、Arthur Y. Wang and Annie Wang for their artistic ability in the illustrations.
- Ms. Xinying Li who gave valuable suggestions in the design of this series and contributed some exercises and rhymes. I am grateful for her encouragement and support for my work.
- Ms. Xinying Li who assisted the author with the sound recording.
- Xinying Li, Carol Chen, Sally Lean and Julia Zhu who have given me constructive and helpful advice during the process of writing this series. They also proofread the manuscripts.
- Finally, members of my family who have always supported and encouraged me to pursue my research and work on these books. Without their continual and generous support, I would not have had the energy and time to accomplish this project.

INTRODUCTION

■ The primary goal of this series *Chinese Made Easy for Kids* is to help total beginners, particularly primary school students, build a solid foundation for learning Chinese as a second/foreign language. This series is designed to emphasize the development of communication skills in listening and speaking. The unique characteristic of this series is the use of the Communicative Approach, which also takes into account the differences between Chinese and European languages, in that the written Chinese characters are independent of their pronunciation.

■ *Chinese Made Easy for Kids* is composed of 4 colour textbooks (Books 1 to 4), each supplemented by a CD and a workbook in black and white.

COURSE DESIGN

Chinese Made Easy for Kids (Books 1 to 4) have been written to provide a solid foundation for the subsequent use of *Chinese Made Easy* (Books 1 to 5).

■ Phonetic symbols and tones

Children will be exposed to the phonetic symbols and tones from the very beginning. The author believes that children will overcome temporary confusion within a short period of time, and will eventually acquire good pronunciation and intonation of Mandarin with on-going reinforcement of pinyin practice. Throughout, pinyin is printed in light blue or grey above each character, to draw children's attention to the characters.

■ Chinese characters

Chinese characters in this series are taught according to the character formation system. Once the children have a good grasp of radicals and simple characters, they will be able to analyze most of the compound characters they encounter, and to memorize new characters in a logical way.

■ Vocabulary and sentence structures

Children at this age tend to learn vocabulary related to their environment. Therefore, the chosen topics are: family members, animals, food, colours, clothing, daily articles, school facilities, modes of transport, etc. The topics, vocabulary and sentence structures in previous books will reappear in later books of this series to consolidate and reinforce memory.

■ Textbook: listening and speaking skills

The textbook covers new vocabulary and simple sentence structures with particular emphasis on listening and speaking skills. Children will develop oral communication skills through audio exercises, dialogues, questions and answers, and speaking practice. In order to reinforce and consolidate knowledge, the games in the textbook are designed to create a fun learning environment. The accompanying rhymes in the textbook mainly consist of new vocabulary in each lesson to aid language acquisition.

■ Workbook: character writing and reading skills

A variety of exercises are carefully designed to suit the children's ability. The children will be expected to trace and copy characters, and to develop reading skills by reading phrases, sentences and short paragraphs. The difficulty level of the exercises gradually increases as the children become more confident in their ability to use Chinese.

COURSE LENGTH

- This series is designed for primary 1 to 6 students. With one lesson daily, able and highly motivated children might complete one book within one academic year. At the end of Book 4, they can move on to the series *Chinese Made Easy* (Books 1 to 5) previously published. As the four books of this series are continuous and ongoing, each book can be taught within any time span.

HOW TO USE Chinese Made Easy for Kids

Here are a few suggestions from the author:

The teacher should:

- provide every opportunity for the children to develop their listening and speaking skills. A variety of speaking exercises included in the textbook can be modified according to the children's ability
- go over the phonetic exercises in the textbook with the students. At a later stage, the children should be encouraged to pronounce new pinyin on their own
- emphasize the importance of learning basic strokes and stroke order of characters. The teacher should demonstrate the stroke order of each character to total beginners. Through regular practice of counting strokes of characters, the children will find it easy to recognize the old and new characters
- guide the children to analyze new characters and encourage them to use their imagination to aid memorization
- modify the games in the textbook according to children's abilities
- skip, modify or extend some exercises according to the children's levels. A wide variety of exercises in the workbook can be used for both class work and homework
- encourage children to recite times table attached at the end of Book 3 and 4 of this series. The author believes that being able to recite the Chinese times table will facilitate the children's learning of multiplication.

The children are expected to:

- trace the new characters in each lesson
- memorize radicals and simple characters
- recite the rhyme in each lesson
- listen to the recording of the text a few times in Book 3 and 4, and tell the story if they can. As these texts are in picture book form, the children should find them appealing.

The text for each lesson, the audio exercises, phonetic symbols and rhymes are on the CD attached to the textbook. The symbol indicates the track number. For example, (CD)T1 is track one.

Yamin Ma
April 2005, Hong Kong

CONTENTS

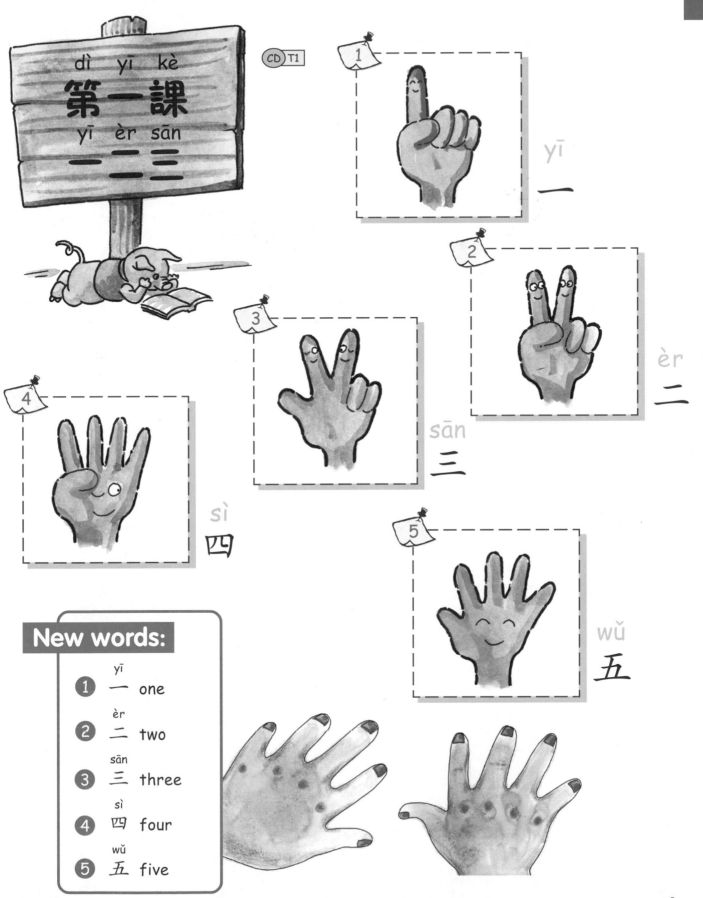

1 (CD)(T2) Learn the phonetic symbols.

1) ā á ǎ à

2) ō ó ǒ ò

3) ē é ě è

2 (CD)(T3) Listen to the recording and circle the correct phonetic symbols.

1	ⓐ	á
2	ǎ	à
3	ǒ	ó
4	ō	ò

5	ē	é
6	ě	è
7	á	é
8	ǒ	ǎ

3 Learn the basic strokes.

diǎn   héng   shù   piě

4 CD T4 Listen and practise.

b p m f, d t n l,

g k h, j q x,

zh ch sh r,

z c s, y w.

5 Say the numbers in Chinese.

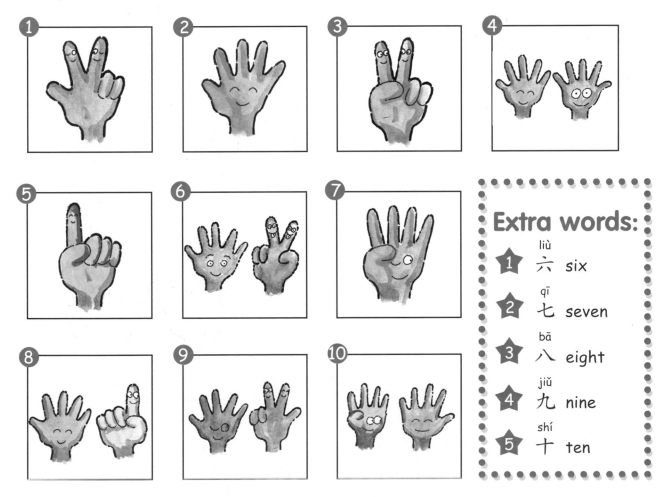

Extra words:

1 六 liù six

2 七 qī seven

3 八 bā eight

4 九 jiǔ nine

5 十 shí ten

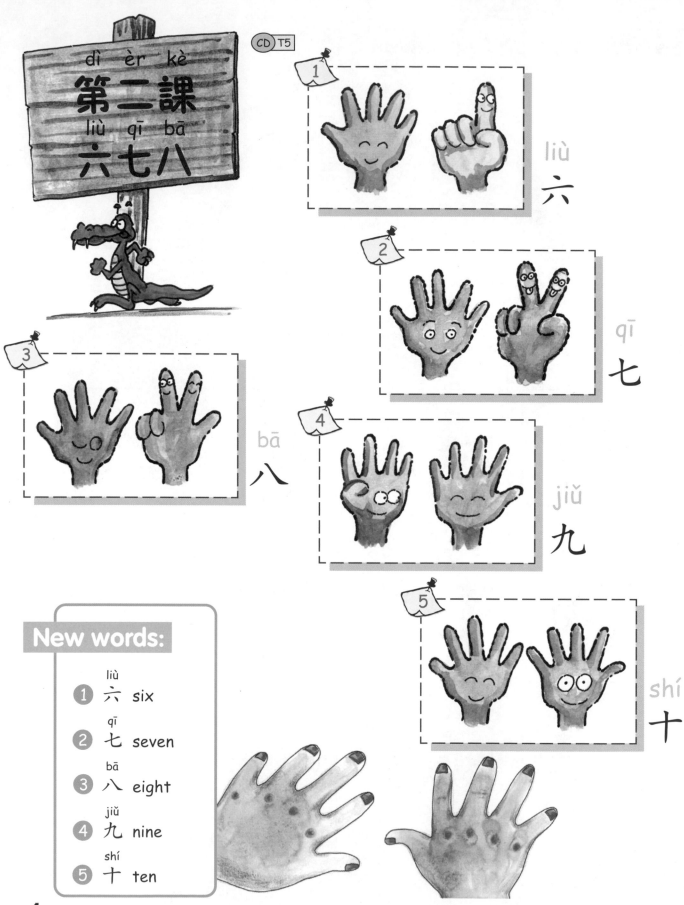

1 CD T6 Learn the phonetic symbols.

1) ī   í   ǐ   ì

2) ū   ú   ǔ   ù

3) ǖ   ǘ   ǚ   ǜ

2 CD T7 Listen to the recording and circle the correct phonetic symbols.

1	ī	(í)	
2	ǐ	ì	
3	ǔ	ù	
4	ū	ú	

5	ū	ǔ
6	ù	ǘ
7	ā	ō
8	é	í

3 CD T8 Listen, clap and practise.

yī   èr   sān   sān   èr   yī
一、二、三，三、二、一，

yī   èr   sān   sì   wǔ   liù   qī
一、二、三、四、五、六、七。

bā   jiǔ   shí   shí   bā   jiǔ
八、九、十，十、八、九，

dà jiā dōu lái shǔ yi shǔ
大家都來數一數。

4 Learn the basic strokes.

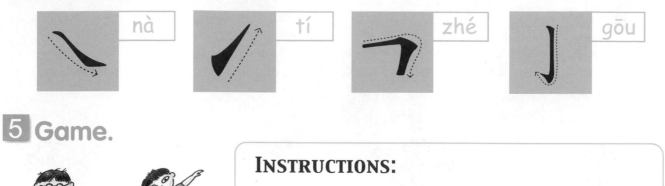

	nà		tí		zhé		gōu

5 Game.

INSTRUCTIONS:

1 The whole class may join the game.

2 When the teacher says a phonectic symbol with a tone "ā", the students have to act just like the pictures shown here.

3 Those who do not act correctly are out of the game.

6 Read aloud.

1) ā	5) è	9) ū	13) í
2) ǎ	6) ī	10) ù	14) ū
3) ó	7) ǐ	11) á	15) ǔ
4) ò	8) ú	12) ǒ	16) à

7 Count the strokes of each character.

sān	liù	wǔ	shí	jiǔ
① 三	② 六	③ 五	④ 十	⑤ 九

3 _____ _____ _____ _____

8 Game.

INSTRUCTIONS:

1 The whole class may join the game.

2 Let one student go to the front and hold up a card with a vowel on it. The rest of the class read it out.

3 Those who do not say it correctly are out of the game.

9 Count the numbers from 1 to 10.

yī   èr   shí

一、二 ·· 十

10 Say the numbers in Chinese.

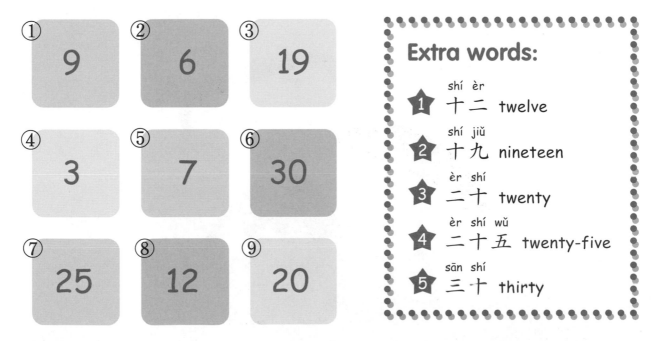

① 9   ② 6   ③ 19

④ 3   ⑤ 7   ⑥ 30

⑦ 25   ⑧ 12   ⑨ 20

Extra words:

1
shí èr
十二 twelve

2
shí jiǔ
十九 nineteen

3
èr shí
二十 twenty

4
èr shí wǔ
二十五 twenty-five

5
sān shí
三十 thirty

New words:

1. lǎo
   老 experienced

2. shī
   師（师） teacher
   lǎo shī
   老師 teacher

3. nín
   您 you (respectful form of address)

4. zǎo
   早 early; morning
   nín zǎo
   您早 good morning

5. nǐ
   你 you

6. hǎo
   好 good; well
   nǐ hǎo
   你好 hello

7. zài
   再 again

8. jiàn
   見（见） see
   zài jiàn
   再見 good-bye

1 Read aloud.

1) ā   2) ó   3) ě   4) ì   5) ū   6) ú

2 CD T10 Listen to the recording and circle the correct phonetic symbols.

1 ⓐ   ē   4 ě   ǐ   7 é   ú

2 ó   í   5 ì   à   8 ù   ò

3 ū   ǖ   6 ǒ   ǔ

3 CD T11 Listen, clap and practise.

1
lǎo shī   nín zǎo   nín zǎo
老師，您早，您早！
lǎo shī   nín hǎo   nín hǎo
老師，您好，您好！
lǎo shī   zài jiàn   zài jiàn
老師，再見，再見！

2
tóng xué   nǐ zǎo   nǐ zǎo
同學，你早，你早！
tóng xué   nǐ hǎo   nǐ hǎo
同學，你好，你好！
tóng xué   zài jiàn   zài jiàn
同學，再見，再見！

NI HAO

4 Learn the radicals.

NI
NIN

巾 napkin

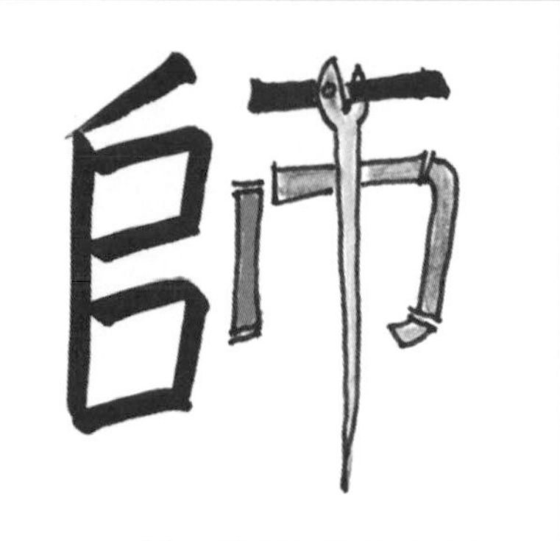

心 heart

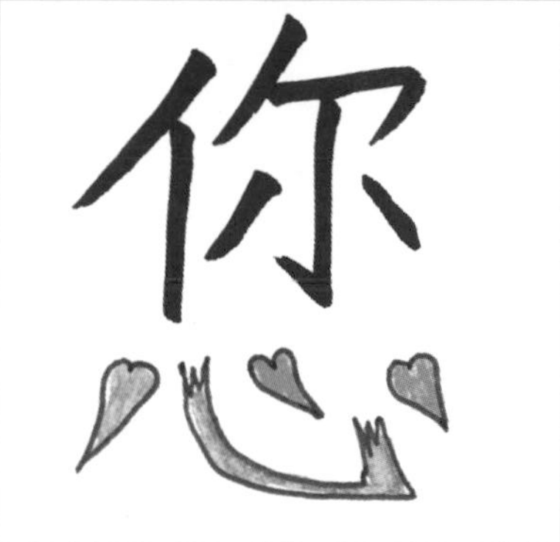

日 sun

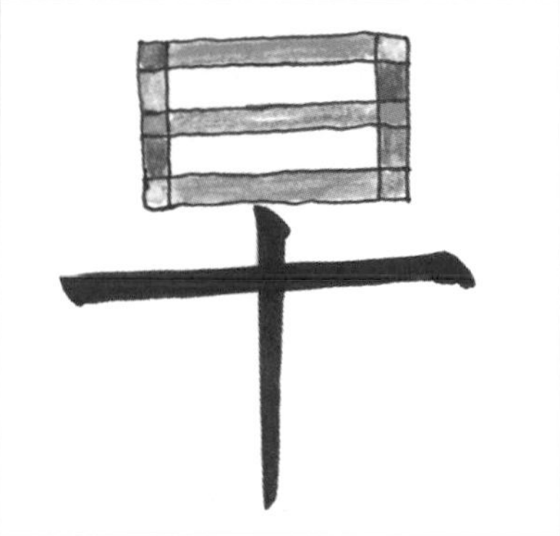

亻 standing person

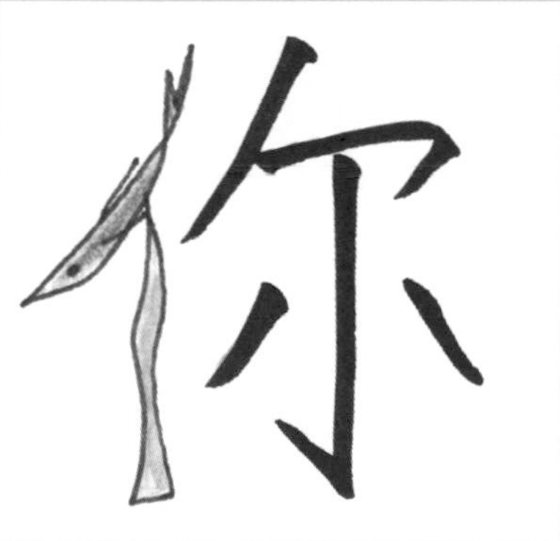

女 female

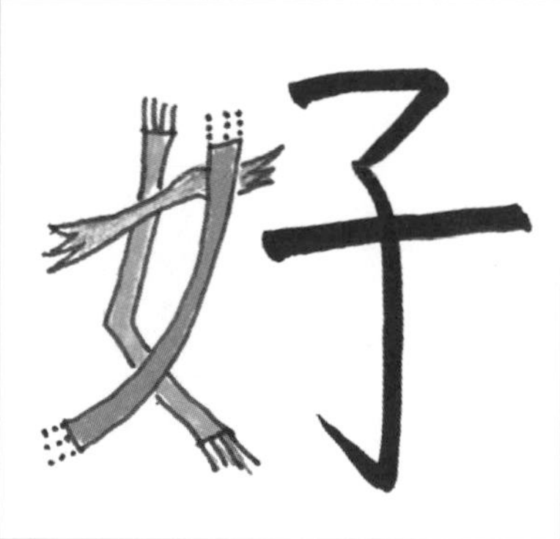

5 Count the numbers.

1) 一 (yī)、二 (èr) …………………………… 十 (shí)

2) 十 (shí)、九 (jiǔ) …………………………… 一 (yī)

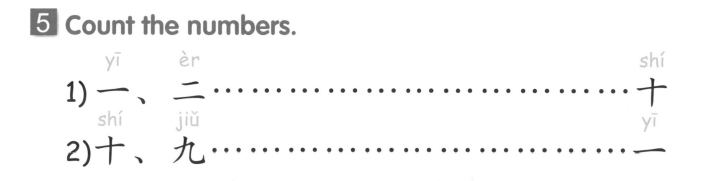

6 Learn the structures of the characters.

hǎo
1) 好 →

zǎo
2) 早 →

nín
3) 您 →

shī
4) 師 →

lǎo
5) 老 →

7 Draw the structure of each character.

shén
1) 什 →

xīng
2) 星 →

xìng
3) 姓 →

kǎo
4) 考 →

xiǎng
5) 想 →

8 Fill in the missing numbers.

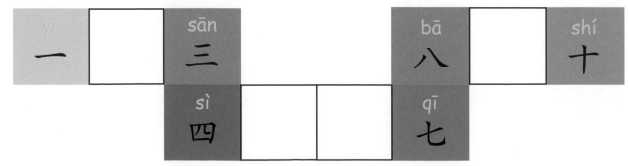

yī 一   sān 三   bā 八   shí 十

sì 四   qī 七

9 **Learn to use special signs to count the numbers.**

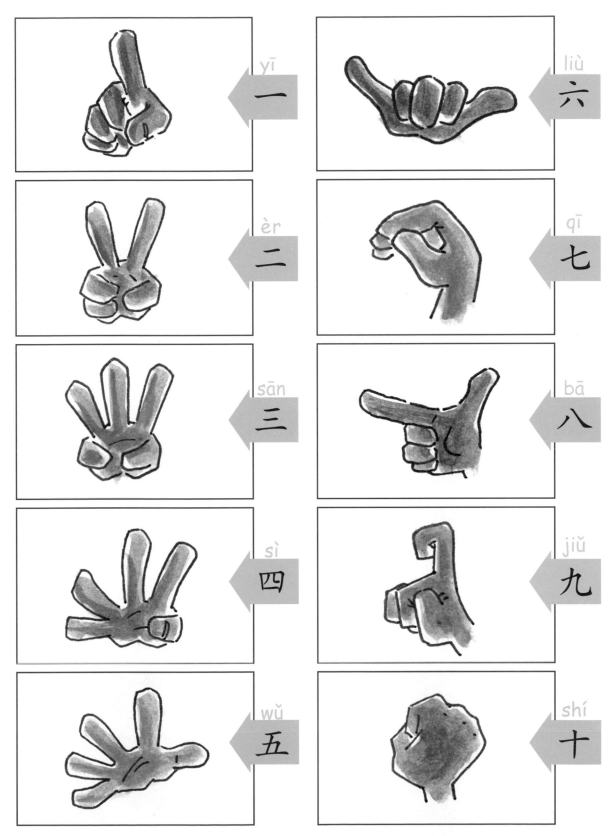

yī 一

liù 六

èr 二

qī 七

sān 三

bā 八

sì 四

jiǔ 九

wǔ 五

shí 十

10 Learn to write characters.

Rule 1: Write first the horizontal stroke and then the vertical one.

① ② 十

Rule 2: Write the strokes from top to bottom.

① ② ③ 三

Rule 3: First write the strokes on the left and then on the right.

① ④ ③ ② ⑥ ⑤ 好

Rule 4: Write the strokes from outside to inside. Then complete the character.

① ② ③ ④ ⑤ ⑥ 因

11 Count the strokes of each character.

jiǔ
① 九

liù
② 六

bā
③ 八

2
___

lǎo
④ 老

zǎo
⑤ 早

zài
⑥ 再

___   ___   ___

12 Read aloud.

1) ā	5) ǔ	9) ú
2) ō	6) è	10) ú
3) ě	7) à	11) ǎ
4) í	8) ǒ	12) ǐ

13 Make short dialogues.

Extra words:

xué sheng
1 學 生 student

xiǎo péng yǒu
2 小 朋 友 children

tóng xué men
3 同 學 們 classmates

14 Read aloud the following words and say their meanings.

jiǔ	lǎo	nǐ	qī
1) 九	2) 老	3) 你	4) 七

shī	nín	sì	shí
5) 師	6) 您	7) 四	8) 十

hǎo	èr	zǎo	jiàn
9) 好	10) 二	11) 早	12) 見

New words:

1. duì 對（对） correct
2. bù 不 not; no
3. qǐ 起 get up; rise
   duì bu qǐ 對不起 I am sorry; excuse me
4. méi 沒 no
5. guān 關（关） close; surname
6. xì 係（系） relate to　guān xi 關係 relation
   méi guān xi 沒關係 It doesn't matter
7. xiè 謝（谢） thank
8. yòng 用 use
   bú yòng 不用 need not
   bú yòng xiè 不用謝 You're welcome

1 CD T13 Learn the phonetic symbols.

b
p
m
f

2 Read aloud.

1) bà
2) mō
3) fú
4) pí
5) bó
6) mǔ
7) fà
8) pǔ
9) mà
10) pū

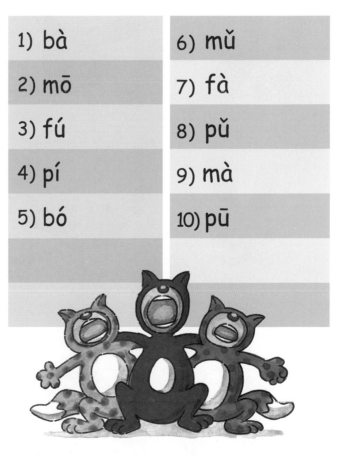

17

3 CD T14 **Listen to the recording and circle the correct pinyin.**

1 (bà)   pà
2 mà   mò
3 pí   pú
4 fá   fà

5 bǐ   pǐ
6 mā   mǎ
7 fú   fù
8 pō   pò

4 **Say the number in Chinese.**

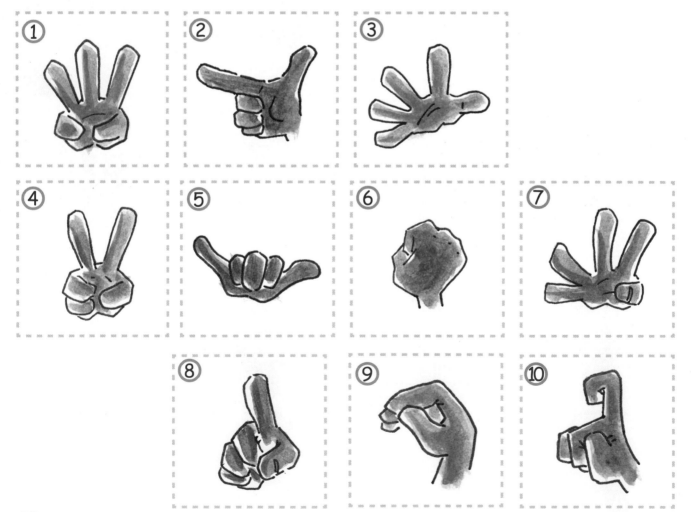

① ② ③ ④ ⑤ ⑥ ⑦ ⑧ ⑨ ⑩

5 CD T15 Listen, clap and practise.

xiǎo péng yǒu men yǒu lǐ mào
小 朋 友 們 有 禮 貌，

shí shí kè kè yào jì láo
時 時 刻 刻 要 記 牢。

duì bu qǐ méi guān xi
對 不 起， 没 關 係。

xiè xie nǐ bú kè qi
謝 謝 你， 不 客 氣。

6 Make short dialogues.

Extra words:

1 duō xiè
多 謝 many thanks

2 xiè xie nǐ
謝 謝 你 thank you

① 你早！
老師，您早！

② 老師，您好！
你好！

③ 老師，再見！
再見！

④ 没關係。
對不起！

⑤ 謝謝！
不用謝。

7 Learn the radicals.

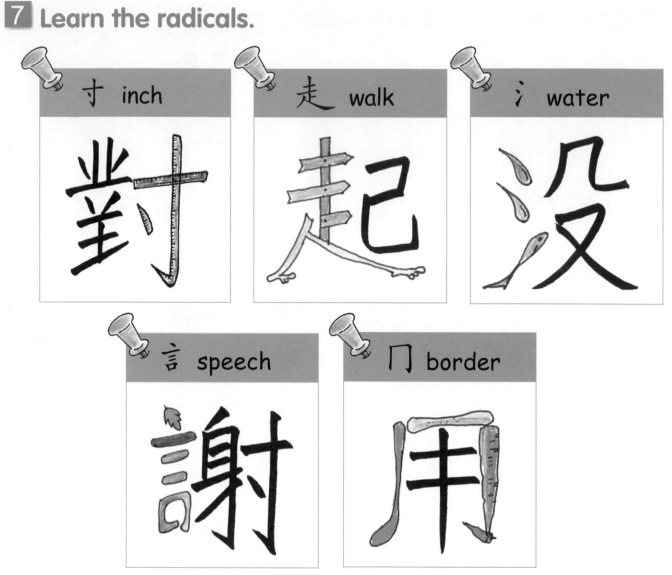

寸 inch

走 walk

氵 water

言 speech

冂 border

8 Game.

INSTRUCTIONS:

1 Let one student hold a consonant in one hand and a vowel with tone in the other.

2 Let the rest of the students read out the pinyin correctly.

EXAMPLE:

m + ā = mā

9 Learn the structures of the characters.

1) qǐ 起 →

2) xiè 謝 →

10 Game.

INSTRUCTIONS:

1 Form a group of two.

2 One student asks the questions, and the other answers. Swap after five.

1) 1+1=

2) 2+1=

3) 3+1=

4) 4+1=

5) 5+1=

6) 6+1=

7) 7+1=

8) 8+1=

9) 9+1=

10) 10+1=

1)

2)

3)

4)

5)

6)

7)

a) _{zǎo} 早

b) _{shī} 師

c) _{nǐ} 你

d) _{qǐ} 起

e) _{nín} 您

f) _{lǎo} 老

g) _{xiè} 謝

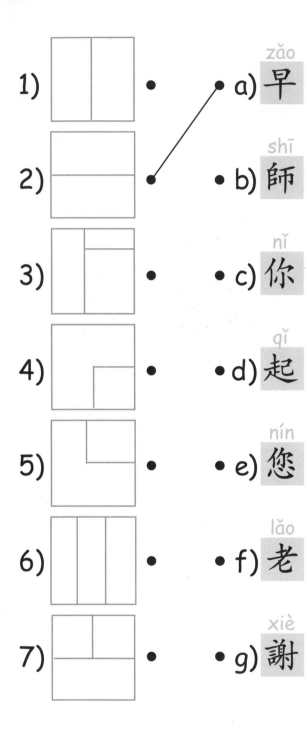

13 Count the numbers.

1) 一、二 ·················· 十
   yī   èr   shí

2) 十、九 ·················· 一
   shí   jiǔ   yī

14 Count the strokes of each character.

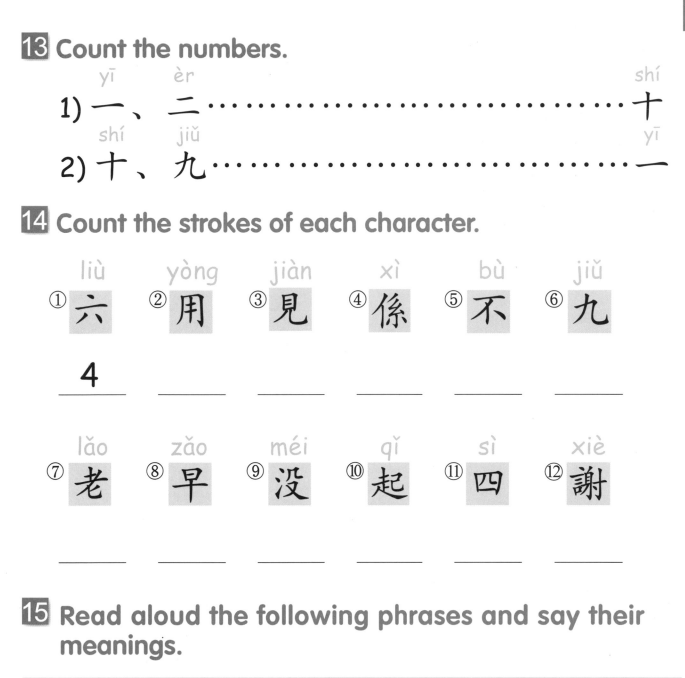

① 六 (liù)   ② 用 (yòng)   ③ 見 (jiàn)   ④ 係 (xì)   ⑤ 不 (bù)   ⑥ 九 (jiǔ)

4   ___   ___   ___   ___   ___

⑦ 老 (lǎo)   ⑧ 早 (zǎo)   ⑨ 沒 (méi)   ⑩ 起 (qǐ)   ⑪ 四 (sì)   ⑫ 謝 (xiè)

15 Read aloud the following phrases and say their meanings.

1) 十二 (shí èr)	2) 對不起 (duì bu qǐ)	3) 不用謝 (bú yòng xiè)	4) 你早 (nǐ zǎo)
5) 再見 (zài jiàn)	6) 二十 (èr shí)	7) 謝謝您 (xiè xie nín)	8) 沒關係 (méi guān xi)
9) 你好 (nǐ hǎo)	10) 不對 (bú duì)	11) 老師 (lǎo shī)	12) 不好 (bù hǎo)

dì wǔ kè
第五課
wǒ xìng wáng
我姓王

CD T16

lǎo shī　　　nǐ xìng shén me
老師： 你姓什麼？

wáng tiān yī　　　wǒ xìng wáng
王天一： 我姓王。

lǎo shī　　　nǐ jiào shén me míng zi
老師： 你叫什麼名字？

wáng tiān yī　　　wǒ jiào tiān yī
王天一： 我叫天一。

New words:

xìng
1 姓 surname

shén me
2 什麼（么） what

wáng
3 王 king; surname

tiān
4 天 sky; day

wǒ
5 我 I; me

jiào
6 叫 call

míng
7 名 name

zì
8 字 character; word

míng zi
名字 name

24

1  Learn the phonetic symbols.

d

t

n

l

2 Read aloud.

1) tè	6) dà
2) dū	7) nǔ
3) lú	8) nǚ
4) dǎ	9) tā
5) tī	10) lí

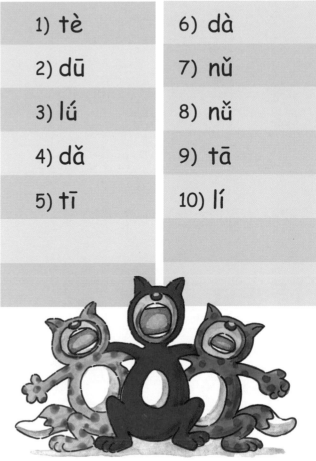

3  Listen to the recording and circle the correct pinyin.

① (tè)   dé
② mó   mǔ
③ nǔ   nǔ
④ mí   nǐ

⑤ pī   tī
⑥ bù   pù
⑦ nǎ   lǎ
⑧ fó   fǔ

4 (CD)T19 Listen, clap and practise.

nǐ jiào shén me　wǒ jiào tiān yī
你叫什麼？我叫天一。

tā jiào shén me　tā jiào jǐ mǐ
他叫什麼？他叫幾米。

wǒ de míng zi jiào tiān yī
我的名字叫天一。

tā de míng zi jiào jǐ mǐ
他的名字叫幾米。

5 Say in Chinese.

① you

② I

③ he

④ she

⑤ we

⑥ you (plural form)

⑦ they

⑧ they

Extra words:

tā
1 他 he; him

tā
2 她 she; her

wǒ men
3 我們 we; us

nǐ men
4 你們 you

tā men
5 他們 they; them

tā men
6 她們 they; them

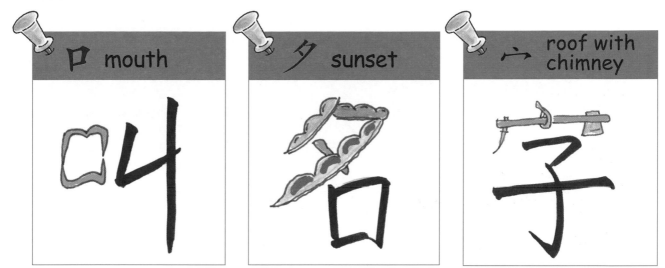

6 Learn the radicals.

口 mouth · 夕 sunset · 宀 roof with chimney

7 Say the meaning of each radical.

nǐ
1) 你

xiè
2) 謝

shī
3) 師

nín
4) 您

standing person

zǎo
5) 早

yòng
6) 用

zì
7) 字

míng
8) 名

méi
9) 没

jiào
10) 叫

qǐ
11) 起

hǎo
12) 好

8 Game.

> **INSTRUCTIONS:**
>
> 1 The whole class may join the game.
>
> 2 Those who do not get the right answers are out of the game.

EXAMPLE:

$$1 + 1 = \boxed{2}$$

9 Write the Chinese numbers.

1

2

3

4

五 _____   _____   _____   _____

5

6

7

8

_____   _____   _____   _____

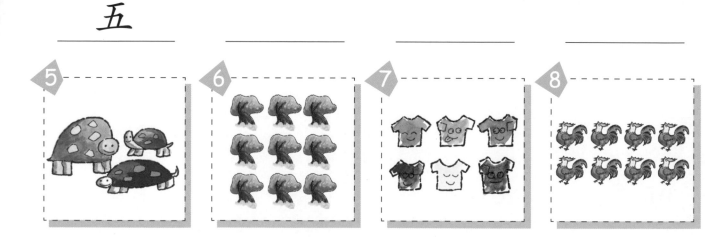

28

10 Make short dialogues.

EXAMPLE:

王 天 一

A: 她 姓 什麼？
tā xìng shén me

B: 她 姓 王。
tā xìng wáng

A: 她 叫 什麼 名字？
tā jiào shén me míng zi

B: 她 叫 天一。
tā jiào tiān yī

① 馬 小 明 *mǎ xiǎomíng*

② 關 小 方 *guān xiǎofāng*

③ 李 文 文 *lǐ wén wen*

④ 謝 天 明 *xiè tiān míng*

⑤ 王 朋 朋 *wáng péng peng*

⑥ 李 小 歡 *lǐ xiǎo huān*

wǒ de jiā rén
我的家人

CD T20

lǎo shī　　　nǐ jiā yǒu jǐ kǒu rén
老師：你家有幾口人？

wáng tiān yī　　　sì kǒu rén
王天一：四口人。

lǎo shī　　　nǐ jiā yǒu shuí
老師：你家有誰？

wáng tiān yī　　bà ba　mā ma　mèi mei hé wǒ
王天一：爸爸、媽媽、妹妹和我。

New words:

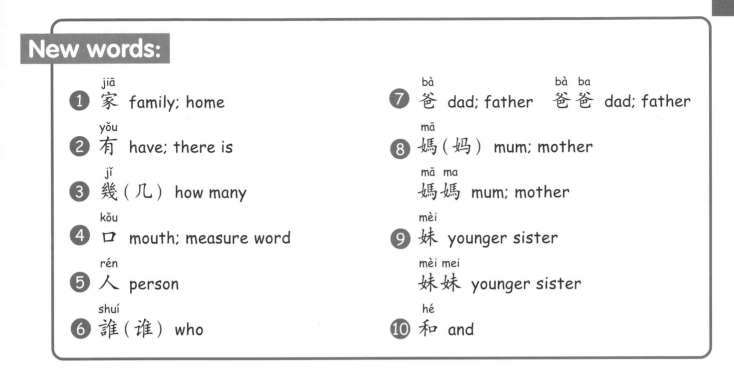

1. jiā 家 family; home
2. yǒu 有 have; there is
3. jǐ 幾（几） how many
4. kǒu 口 mouth; measure word
5. rén 人 person
6. shuí 誰（谁） who

7. bà 爸 dad; father　　bà ba 爸爸 dad; father
8. mā 媽（妈） mum; mother
   mā ma 媽媽 mum; mother
9. mèi 妹 younger sister
   mèi mei 妹妹 younger sister
10. hé 和 and

---

1 〔CD〕〔T21〕 **Learn the phonetic symbols.**

g

k

h

2 **Read aloud.**

1) kǎ	6) kǔ
2) gē	7) hā
3) hú	8) gé
4) gà	9) hù
5) hē	10) kā

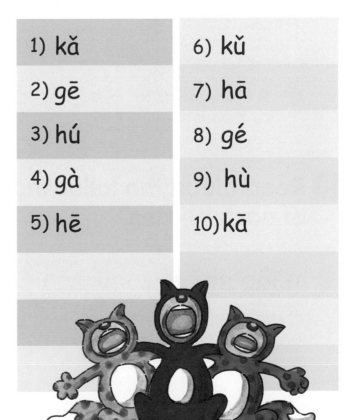

3 (CD)T22 **Listen to the recording and circle the correct pinyin.**

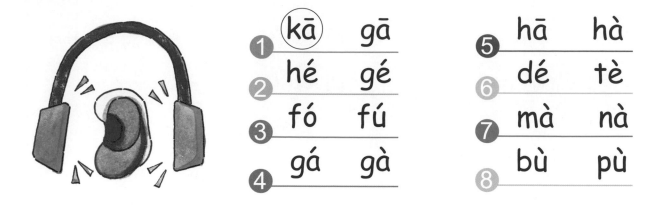

1 (kā) gā

2 hé gé

3 fó fú

4 gá gà

5 hā hà

6 dé tè

7 mà nà

8 bù pù

4 (CD)T23 **Listen, clap and practise.**

wǒ de jiā yǒu wǔ kǒu rén
我 的 家 有 五 口 人，

yǒu bà ba   yǒu mā ma
有 爸 爸， 有 媽 媽、

dì di   mèi mei   hái yǒu wǒ
弟 弟、 妹 妹， 還 有 我。

5 **Read aloud the following pinyin and say the meaning of each phrase.**

1) lǎo shī   2) nǐ zǎo   3) hǎo rén   4) duì bu qǐ

5) shén me   6) zài jiàn   7) míng zi   8) méi guān xi

6 Learn the radicals.

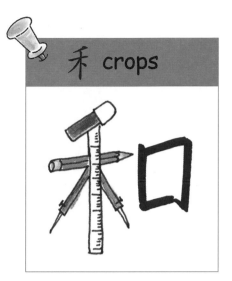

7 Make short dialogues.

8 Game.

INSTRUCTIONS:

1 The whole class may join the game.

2 One student is asked to go to the front. He uses both hands to show the signs of numbers.

3 Those who do not say the correct answers are asked to go to the front to act.

EXAMPLE:

+ = **12**

9 Ask five classmates the following questions.

nǐ xìng shén me

1) 你 姓 什麼？

nǐ jiào shén me míng zi

2) 你 叫 什麼 名字？

nǐ jiā yǒu jǐ kǒu rén

3) 你 家 有 幾 口 人？

nǐ jiā yǒu shuí

4) 你 家 有 誰？

10 Speaking practice.

EXAMPLE:

wǒ jiā yǒu sì kǒu rén　　bà ba
我家有四口人：爸爸、
mā ma　　gē ge hé wǒ
媽媽、哥哥和我。

Extra words:

gē ge
1 哥哥 elder brother

jiě jie
2 姐姐 elder sister

dì di
3 弟弟 younger brother

11 Count the strokes and write the radicals.

jiā
1) 家 (10) 宀

bà
2) 爸 ( ) ___

shī
3) 師 ( ) ___

hé
4) 和 ( ) ___

nín
5) 您 ( ) ___

zǎo
6) 早 ( ) ___

mā
7) 媽 ( ) ___

qǐ
8) 起 ( ) ___

méi
9) 沒 ( ) ___

jiào
10) 叫 ( ) ___

míng
11) 名 ( ) ___

mèi
12) 妹 ( ) ___

12 Say the numbers in Chinese.

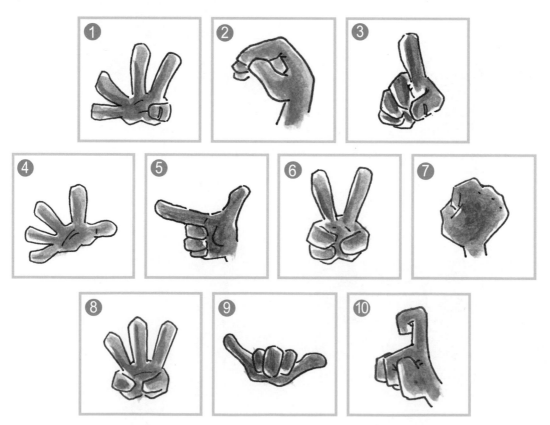

36

13 **Read and match.**

nǐ jiā yǒu jǐ kǒu rén
1) 你家有幾口人？ •

bà ba mā ma hé wǒ
• a) 爸爸、媽媽和我。

nǐ xìng shén me
2) 你姓什麼？ •

wǒ xìng xiè
• b) 我姓謝。

nǐ jiā yǒu shuí
3) 你家有誰？ •

bā kǒu rén
• c) 八口人。

nǐ jiào shén me míng zi
4) 你叫什麼名字？ •

tiān yī
• d) 天一。

14 **Speaking practice.**

EXAMPLE:

zhè shì wǒ de yì jiā wǒ
這是我的一家。我
jiā yǒu wǔ kǒu rén bà
家有五口人：爸
ba mā ma jiě jie
爸、媽媽、姐姐、
gē ge hé wǒ
哥哥和我。

IT IS YOUR TURN!

Bring a family photo to the class and introduce your family members.

dì qī kè
第七課
gē ge bā suì
哥哥八歲

CD T24

老師： 你有哥哥嗎？
lǎo shī　　nǐ yǒu gē ge ma

王和： 有。我有一個哥哥。
wáng hé　　yǒu　　wǒ yǒu yí ge gē ge

老師： 他幾歲？
lǎo shī　　tā jǐ suì

王和： 八歲。
wáng hé　　bā suì

老師： 你有弟弟嗎？
lǎo shī　　nǐ yǒu dì di ma

王和： 沒有。
wáng hé　　méi yǒu

老師： 你幾歲？
lǎo shī　　nǐ jǐ suì

王和： 四歲。
wáng hé　　sì suì

38

New words:

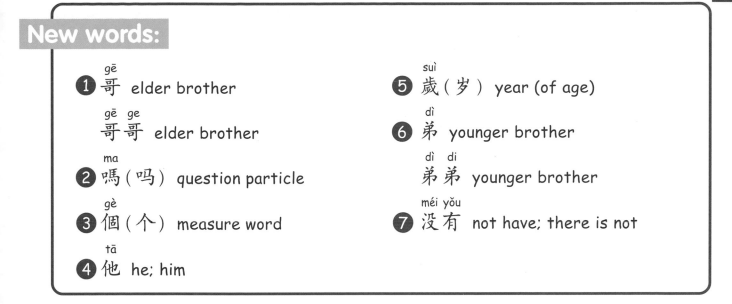

1 哥 *gē* elder brother

哥哥 *gē ge* elder brother

2 嗎（吗）*ma* question particle

3 個（个）*gè* measure word

4 他 *tā* he; him

5 歲（岁）*suì* year (of age)

6 弟 *dì* younger brother

弟弟 *dì di* younger brother

7 沒有 *méi yǒu* not have; there is not

1 CD T25 **Learn the phonetic symbols.**

j

q

x

2 **Read aloud.**

1) jī	6) qǔ
2) xù	7) mó
3) kā	8) jù
4) tì	9) xì
5) nǔ	10) hé

3 CD T26 Listen to the recording. Tick what is true and cross what is false.

1) xī   2) qù   3) jǐ   4) nǔ   5) lù

✓

6) bù   7) pī   8) fó   9) tā   10) mǔ

4 CD T27 Listen, clap and practise.

gē ge jǐ suì
哥哥幾歲？

gē ge qī suì
哥哥七歲。

dì di jǐ suì
弟弟幾歲？

dì di yí suì
弟弟一歲。

gē ge qī suì
哥哥七歲，

dì di yí suì
弟弟一歲。

qī suì yí suì
七歲一歲，

yí suì qī suì
一歲七歲。

5 Count the numbers from 10 to 1.

shí   jiǔ   yī
十、 九 ···································· 一

40

6 Learn the radicals.

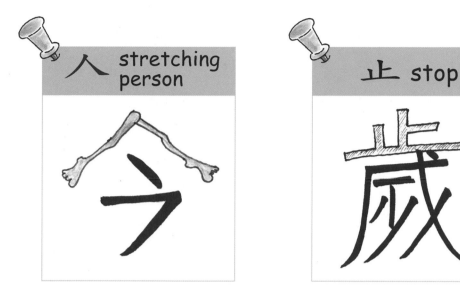

人 stretching person

止 stop

7 Say the meaning of each radical.

bà
1) 爸
father

hǎo
2) 好

míng
3) 名

qǐ
4) 起

shuí
5) 誰

zì
6) 字

hé
7) 和

jiào
8) 叫

yòng
9) 用

méi
10) 沒

nín
11) 您

shī
12) 師

8 Say in Chinese.

1. elder brother
2. younger sister
3. elder sister
4. younger brother
5. grandpa on father's side
6. grandma on father's side
7. grandpa on mother's side
8. grandma on mother's side

Extra words:

1. yé ye 爺爺 grandpa on father's side
2. nǎi nai 奶奶 grandma on father's side
3. wài gōng 外公 grandpa on mother's side
4. wài pó 外婆 grandma on mother's side

9 **Game.**

> **INSTRUCTIONS:**
>
> 1 The class is divided into two groups.
>
> 2 One group reads out the odd numbers and the other, the even numbers.

10 **Complete the dialogues.**

1) A: nǐ hǎo 你好!   B: _你好!_____

2) A: duì bu qǐ 對不起!   B: _____

3) A: xiè xie 謝謝!   B: _____

4) A: nǐ jiào shén me míng zi 你叫什麼名字?   B: _____

5) A: nǐ jiā yǒu jǐ kǒu rén 你家有幾口人?   B: _____

6) A: nǐ jiā yǒu shuí 你家有誰?   B: _____

7) A: zài jiàn 再見!   B: _____

11 Make short dialogues.

王大山：六歲
wáng dà shān　liù suì

哥哥：八歲
gē ge　bā suì

弟弟：三歲
dì di　sān suì

Example:

A: 王大山 有 哥哥 嗎?
wáng dà shān yǒu gē ge ma

B: 有。
yǒu

A: 他 幾 歲?
tā jǐ suì

B: 八 歲 。
bā suì

A: 王大山 有 弟弟 嗎?
wáng dà shān yǒu dì di ma

B: 有。
yǒu

A: 他 幾 歲?
tā jǐ suì

B: 三 歲。
sān suì

……

44

①

xiè tiān　　liù suì
謝天：六歲

jiě jie　　jiǔ suì
姐姐：九歲

gē ge　　bā suì
哥哥：八歲

②

wáng huān　　wǔ suì
王歡：五歲

mèi mei　　sān suì
妹妹：三歲

12 Game.

我家有
四口人……

EXAMPLE:

wǒ jiā yǒu sì kǒu rén　　bà ba　　mā
我家有四口人：爸爸、媽

ma　　dì di hé wǒ　　wǒ dì di sì
媽、弟弟和我。我弟弟四

suì　　wǒ liù suì
歲，我六歲。

INSTRUCTIONS:

1 Each student is asked to write about his family in pinyin on a piece of paper.

2 The teacher collects the pieces and shuffles.

3 Each student picks one piece and reads it out. The rest of the class guesses whose family it is.

dì bā kè
第八課
xǐ huan de yán sè
喜歡的顏色

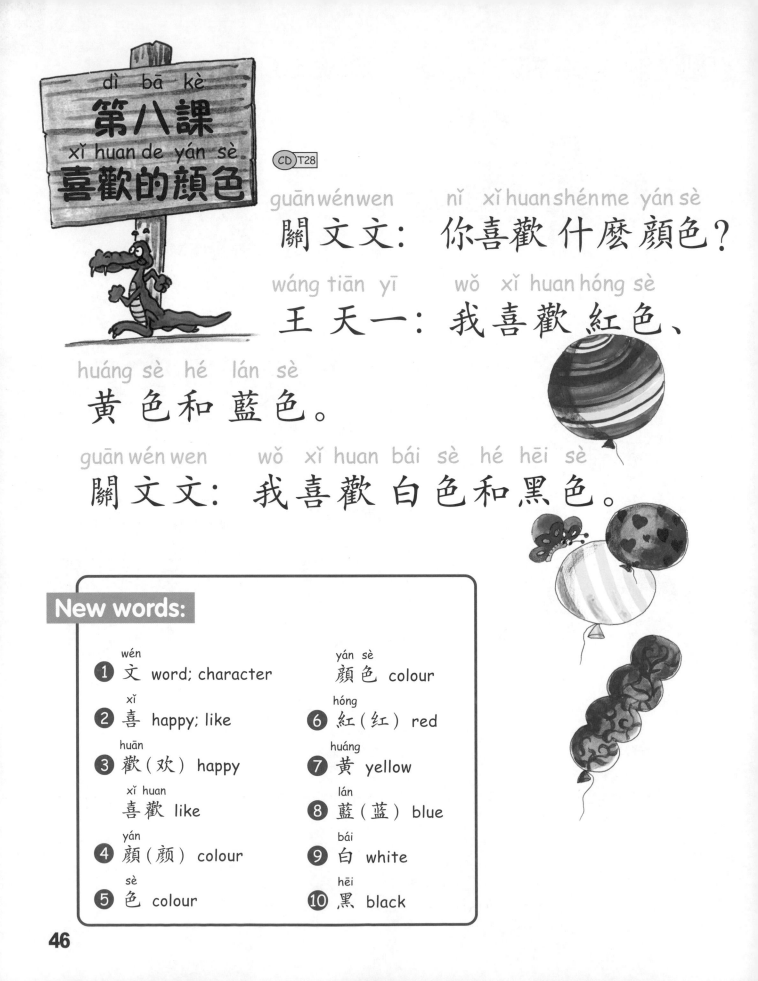

CD T28

guān wén wen
關文文：

nǐ xǐ huan shén me yán sè
你喜歡什麼顏色？

wáng tiān yī
王天一：

wǒ xǐ huan hóng sè
我喜歡紅色、

huáng sè hé lán sè
黃色和藍色。

guān wén wen
關文文：

wǒ xǐ huan bái sè hé hēi sè
我喜歡白色和黑色。

New words:

wén
1 文 word; character

xǐ
2 喜 happy; like

huān
3 歡（欢）happy

xǐ huan
喜歡 like

yán
4 顏（颜）colour

sè
5 色 colour

yán sè
顏色 colour

hóng
6 紅（红）red

huáng
7 黃 yellow

lán
8 藍（蓝）blue

bái
9 白 white

hēi
10 黑 black

46

1 CD T29 Learn the phonetic symbols.

zh

ch

sh

r

2 Read aloud.

1) zhā
2) chá
3) shè
4) rì
5) chǔ

6) shī
7) rù
8) zhé
9) chì
10) rè

3 CD T30 Listen to the recording. Tick what is true and cross what is false.

1) rì   2) chā   3) shí   4) zhū   5) rǔ

✓

6) chū   7) shǔ   8) rě   9) zhí   10) rù

4 Say the colours in Chinese.

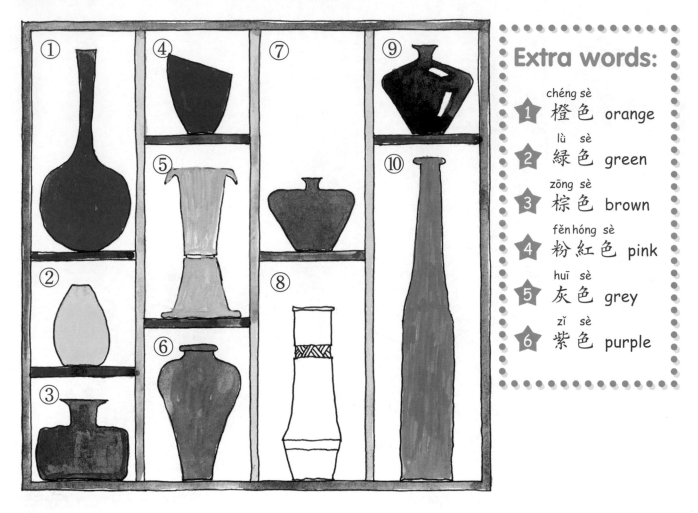

5 Game.

cloud

bái sè

INSTRUCTIONS:

1 The whole class may join the game.

2 Those who do not say the right colour(s) are out of the game.

EXAMPLE:

cloud → bái sè

6 🔊T31 Listen, clap and practise.

qì qiú　　qì qiú　　shén me yán sè
氣球，氣球，什麼顏色？
hóng sè　　huáng sè　　lán sè　　bái sè
紅色、黃色、藍色、白色。
qì qiú　　qì qiú　　shén me yán sè
氣球，氣球，什麼顏色？
hóng　　huáng　　lán　　bái　　hēi sè
紅、黃、藍、白、黑色。

7 Ask your partner the following questions.

nǐ jiào shén me míng zi
1) 你叫什麼名字？

nǐ jiā yǒu jǐ kǒu rén　　yǒu shuí
2) 你家有幾口人？有誰？

nǐ jǐ suì
3) 你幾歲？

nǐ xǐ huan shén me yán sè
4) 你喜歡什麼顏色？

8 **Learn the radicals.**

士 scholar

欠 owe

頁 page

糸 silk

艹 grass

灬 fire

9 **Read aloud the following pinyin and say the meaning of each phrase.**

1) xǐ huan	2) yán sè	3) nǐ zǎo
4) shén me	5) míng zi	6) zài jiàn
7) méi yǒu	8) èr shí	9) lán sè

50

10 Colour the following pictures.

> **IT IS YOUR TURN!**
>
> 1 Tell the class the colours used to colour the pictures.
>
> 2 Draw what you like and colour it.

11 Game.

> **INSTRUCTIONS:**
>
> 1 The whole class may join the game.
>
> 2 Those who do not say the right thing(s) are out of the game.

EXAMPLE:

lǎo shī　　hēi sè hé bái sè
老師：黑色和白色。
xué sheng
學生：Panda.

51

dì jiǔ kè
第九課
wǒ men de xiào fú
我們的校服

zhè shì wǒ men xué xiào de xiào fú　　nǚ shēng chuān bái

這是我們學校的校服。女生 穿 白

sè de chèn shān hé lán sè de qún zi　　nán shēng chuān

色的襯衫和藍色的裙子。男生 穿

bái chèn shān hé lán kù zi

白襯衫和藍褲子。

New words:

1 這（这） zhè this
2 是 shì be
3 們（们） men plural suffix　我們 wǒ men we; us
4 學（学） xué study
5 校 xiào school　學校 xué xiào school
6 的 de of; 's
7 服 fú clothes
　校服 xiào fú school uniform
8 女 nǚ female

9 生 shēng student　女生 nǚ shēng girl student
10 穿 chuān wear
11 襯（衬） chèn lining
12 衫 shān unlined upper garment
　襯衫 chèn shān shirt
13 裙 qún skirt
14 子 zi noun suffix　裙子 qún zi skirt
15 男 nán male　男生 nán shēng boy student
16 褲（裤） kù trousers　褲子 kù zi trousers

1 Say the colours in Chinese.

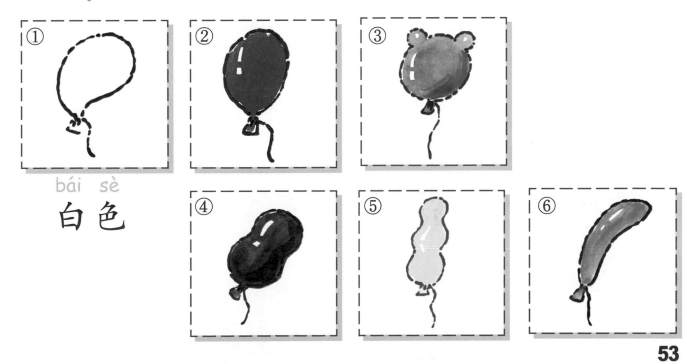

bái sè
白色

2 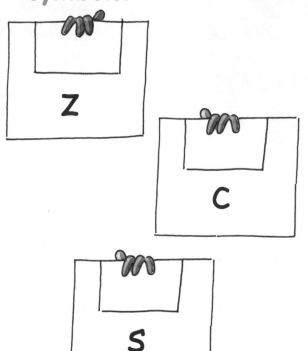 CD T33 Learn the phonetic symbols.

z

c

s

3 Read aloud.

1) zā	6) cā
2) cī	7) sì
3) sè	8) cí
4) zū	9) zé
5) sǐ	10) sù

4 CD T34 Listen, clap and practise.

wǒ men chuān xiào fú   wǒ men chuān xiào fú
我 們 穿 校 服， 我 們 穿 校 服，
nán shēng   nǔ shēng chuān xiào fú
男 生、 女 生 穿 校 服。

wǒ men chuān chèn shān   wǒ men chuān kù zi
我 們 穿 襯 衫， 我 們 穿 褲 子，
chèn shān hé kù zi
襯 衫 和 褲 子。

wǒ men chuān chèn shān   wǒ men chuān qún zi
我 們 穿 襯 衫， 我 們 穿 裙 子，
chèn shān hé qún zi
襯 衫 和 裙 子。

5 CD T35 Listen to the recording. Tick what is true and cross what is false.

1) chā	2) zá	3) zhé	4) cè	5) pō
✕				

6) zǐ	7) chù	8) jí	9) zhū	10) shè

6 Say in Chinese.

EXAMPLE:

chèn shān
襯衫

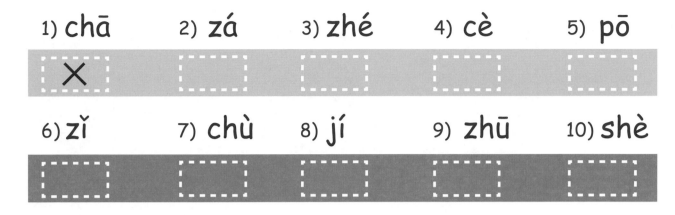

Extra words:

1 máo yī
毛衣 woollen sweater

2 dà yī
大衣 overcoat

3 hàn shān
汗衫 T-shirt

4 niú zǎi kù
牛仔褲 jeans

5 wài tào
外套 outer garment

8 Game.

INSTRUCTIONS:

1 One student guesses if his classmate likes a certain colour.

2 His classmate either says "correct" or "incorrect".

EXAMPLE:

xué sheng　　　wáng tiān yī　xǐ huan hóng sè
學 生 1: 王 天 一 喜 歡 紅 色。

wáng tiān yī　　　duì　　　bú duì　　　wǒ　xǐ huan lán sè
王 天 一: 對。（不 對，我 喜 歡 藍 色。）

9 Say in Chinese.

①
chéng sè　de　hàn shān
橙 色 的 汗 衫

②

③

④

⑤

⑥

⑦

⑧

10 Colour the clothes and tell the class the colours used.

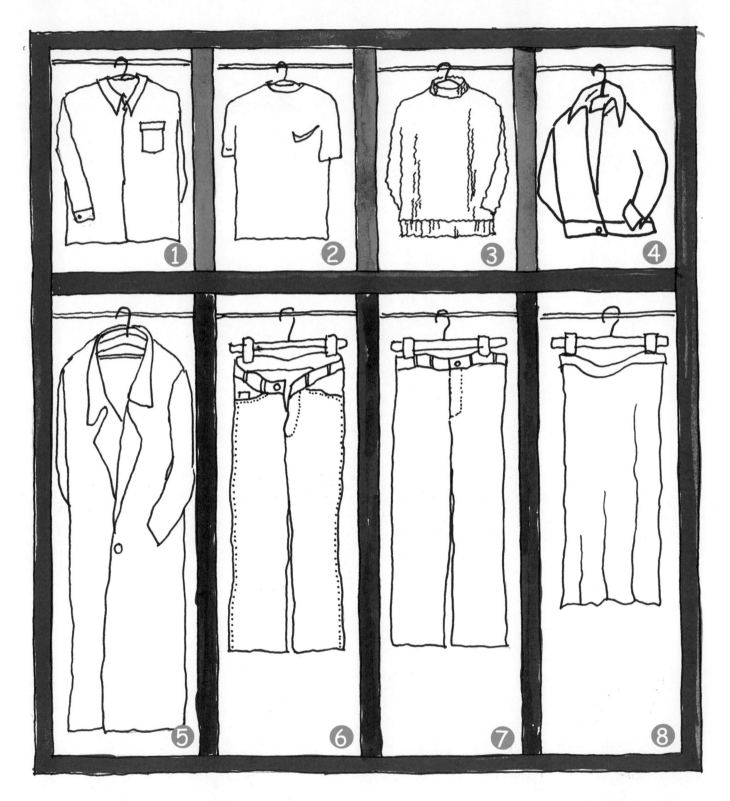

11 Game.

INSTRUCTIONS:

1 The class is divided into small groups.

2 The cards prepared by the teacher have nothing but characters on them.

3 Each group is asked to write pinyin with the correct tone for each character.

EXAMPLE: 裤 kù

1) 色   2) 和   3) 女

4) 喜   5) 爸   6) 我

7) 弟   8) 字   9) 你

12 Draw the clothes your teachers are wearing today and then colour them. Give a report to the class.

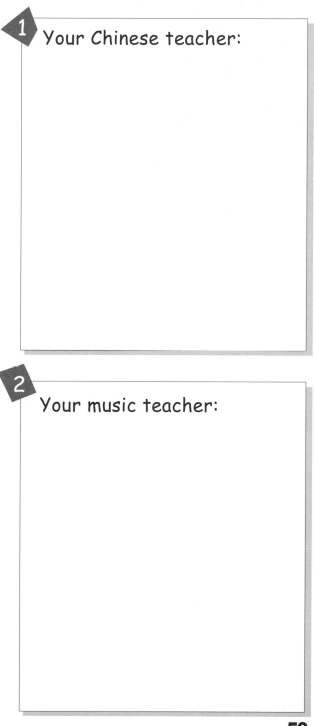

1 Your Chinese teacher:

2 Your music teacher:

dì shí kè
第十課
wǒ de jiě jie
我的姐姐

CD T36

wǒ yǒu yí ge jiě jie　　tā bú
我 有 一 個 姐 姐 。 她 不

pàng bú shòu　　tā yǒu dà dà de
胖 不 瘦 。 她 有 大 大 的

yǎn jing　　gāo gāo de　bí
眼 睛 、 高 高 的 鼻

zi　hé xiǎo xiǎo de　zuǐ
子 和 小 小 的 嘴

ba　　wǒ hé jiě jie dōu
巴 。 我 和 姐 姐 都

yǒu cháng tóu fa
有 長 頭 髮 。

New words:

1. **jiě** 姐 elder sister
   jiě jie 姐姐 elder sister
2. **tā** 她 she; her
3. **pàng** 胖 chubby; fat
4. **shòu** 瘦 thin
5. **dà** 大 big
6. **yǎn** 眼 eye
7. **jīng** 睛 eyeball
   yǎn jing 眼睛 eye

8. **gāo** 高 tall
9. **bí** 鼻 nose **bí zi** 鼻子 nose
10. **xiǎo** 小 small
11. **zuǐ** 嘴 mouth
12. **bā** 巴 cheek **zuǐ ba** 嘴巴 mouth
13. **dōu** 都 all; both
14. **cháng** 長（长）long
15. **tóu** 頭（头）head
16. **fà** 髮（发）hair **tóu fà** 頭髮 hair

1 ⟨CD⟩T37 Learn the phonetic symbols.

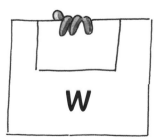

2 Read aloud.

1) yā	yá	yǎ	yà
2) yī	yí	yǐ	yì
3) wā	wá	wǎ	wà
4) wū	wú	wǔ	wù

3 Speaking practice.

EXAMPLE:

tā de liǎn yuán yuán
他 的 臉 圓 圓

de   tā de shǒu xiǎo
的。他 的 手 小

xiǎo de   tā de jiǎo
小 的。他 的 脚

xiǎoxiǎo de   tā de tóu fa duǎn duǎn de
小 小 的。他 的 頭 髮 短 短 的。

Extra words:

1 ěr duo
   耳朵 ear

2 liǎn
   臉 face

3 shǒu
   手 hand

4 jiǎo
   脚 foot

5 duǎn
   短 short

6 yuán
   圓 round

IT IS YOUR TURN!

Describe one of your classmates and let the rest of the class guess who he/she is.

4 Learn the radicals.

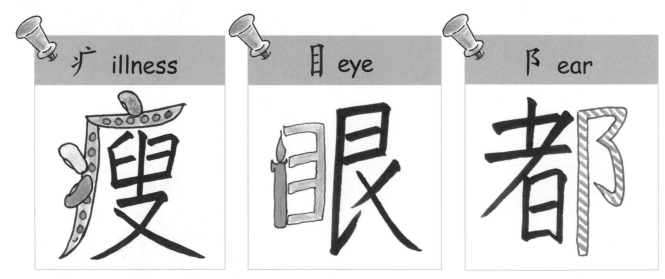

疒 illness

目 eye

阝 ear

62

5 CD T38 **Listen, clap and practise.**

jiě jie de yǎn jing dà
姐姐的眼睛大,
mèi mei de zuǐ ba xiǎo
妹妹的嘴巴小,
mā ma de bí zi jiān
媽媽的鼻子尖,
bà ba de tóu fa shǎo
爸爸的頭髮少。

6 **Read aloud the following sentences. Then say the meaning of each sentence.**

jiě jie / gāo gāo de / shòu shòu de / tā xǐ huan
1) 姐姐 / 高高的, / 瘦 瘦 的。/ 她喜歡 /
chuān qún zi
穿 / 裙子。

dì di / pàng pàng de / yǎn jing bú dà / ěr duo
2) 弟弟 / 胖 胖 的, / 眼睛不大, / 耳朵 /
dà dà de
大 大 的。

bà ba / gāo gāo de / pàng pàng de / tóu fa
3) 爸爸 / 高高的, / 胖 胖 的, / 頭髮 /
duǎn duǎn de
短 短 的。

mā ma / bú pàng bú shòu / tóu fa / cháng cháng de
4) 媽媽 / 不胖不瘦, / 頭髮 / 長 長 的。

7 **Listen to the recording. Tick what is true and cross what is false.**

1

(✓)

2

( )

3

( )

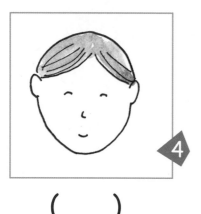
4

( )

5

( )

6

( )

8 Game.

INSTRUCTIONS:

1 Two students are asked to perform the task.

2 One describes his mother or father, and the other draws on the board according to the description.

3 Let the rest of the class judge whether the drawing is accurate or not.

9 Speaking practice.

EXAMPLE:

tā bù gāo　　tā de yǎn jing xiǎo xiǎo de
他不高。 他的眼睛小小的。
tā de zuǐ ba dà dà de　　tā de tóu fa
他的嘴巴大大的。他的頭髮
duǎn duǎn de
短短的。

10 Ask your partner the following questions.

nǐ jiā yǒu jǐ kǒu rén　　　　nǐ jǐ suì
1) 你家有幾口人？ 2) 你幾歲？
nǐ xǐ huan shén me yán sè　nǐ chuān xiào fú ma
3) 你喜歡什麼顏色？4) 你穿校服嗎？

12 Speaking practice.

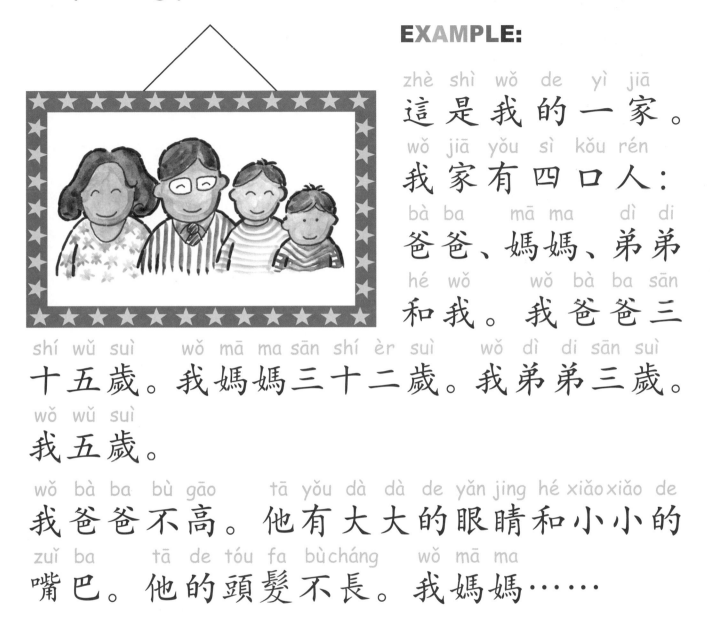

EXAMPLE:

zhè shì wǒ de yì jiā
這 是 我 的 一 家 。
wǒ jiā yǒu sì kǒu rén
我 家 有 四 口 人：
bà ba　　mā ma　　dì di
爸 爸 、 媽 媽 、 弟 弟
hé wǒ　　　wǒ bà ba sān
和 我 。 我 爸 爸 三

shí wǔ suì　　wǒ mā ma sān shí èr suì　　wǒ dì di sān suì
十 五 歲 。 我 媽 媽 三 十 二 歲 。 我 弟 弟 三 歲 。
wǒ wǔ suì
我 五 歲 。

wǒ bà ba bù gāo　　tā yǒu dà dà de yǎn jing hé xiǎo xiǎo de
我 爸 爸 不 高 。 他 有 大 大 的 眼 睛 和 小 小 的
zuǐ ba　　　tā de tóu fa bù cháng　　wǒ mā ma
嘴 巴 。 他 的 頭 髮 不 長 。 我 媽 媽……

IT IS YOUR TURN!

Bring a family photo with you and describe each family
member to the class.

第十一課
dì shí yī kè

動物
dòng wù

關文文: 你喜歡動物嗎?
guān wén wen　nǐ xǐ huan dòng wù ma

王天一: 很喜歡。我喜歡
wáng tiān yī　hěn xǐ huan　wǒ xǐ huan

狗、猫和馬。
gǒu　māo hé mǎ

關文文: 你家裏養寵物嗎?
guān wén wen　nǐ jiā li yǎng chǒng wù ma

王天一: 養。我養了五條魚。
wáng tiān yī　yǎng　wǒ yǎng le wǔ tiáo yú

New words:

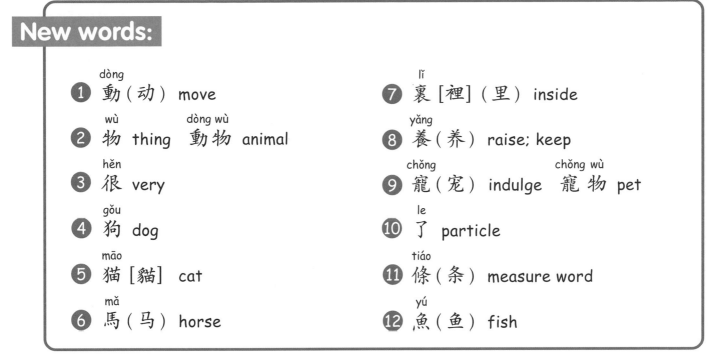

1. dòng 動（动）move
2. wù 物 thing　dòng wù 動物 animal
3. hěn 很 very
4. gǒu 狗 dog
5. māo 猫［貓］cat
6. mǎ 馬（马）horse
7. lǐ 裏［裡］（里）inside
8. yǎng 養（养）raise; keep
9. chǒng 寵（宠）indulge　chǒng wù 寵物 pet
10. le 了 particle
11. tiáo 條（条）measure word
12. yú 魚（鱼）fish

1 CD T41 Learn the phonetic symbols.

ai

ei

ui

2 Read aloud.

1) bāi　bái　bǎi　bài
2) cāi　cái　cǎi　cài
3) fēi　féi　fěi　fèi
4) lēi　léi　lěi　lèi
5) huī　huí　huǐ　huì

3 Say in Chinese.

①

②

③

④

⑤

⑥

⑦

⑧

⑨

Extra words:

1. niǎo 鳥 bird
2. dà xiàng 大象 elephant
3. lǎo hǔ 老虎 tiger
4. shī zi 獅子 lion
5. wū guī 烏龜 tortoise

4 CD T42 Listen, clap and practise.

xiǎo huā gǒu jiào　　wāng　　wāng　　wāng
小花狗叫"汪、汪、汪",

xiǎo huā māo jiào　　miāo　　miāo　　miāo
小花猫叫"喵、喵、喵"。

xiǎo yúr　　zài shuǐ zhōng yóu
小鱼兒在水中游,

xiǎo mǎr　　zài dì shang pǎo
小馬兒在地上跑。

5 Learn the radicals.

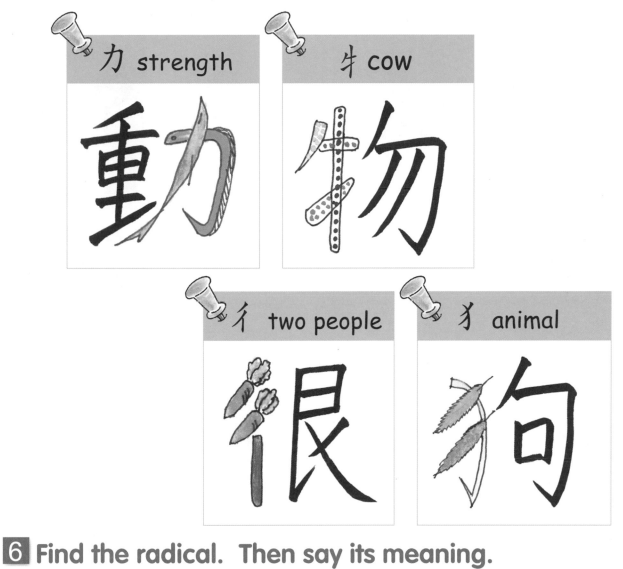

力 strength

牛 cow

彳 two people

犭 animal

6 Find the radical. Then say its meaning.

shòu
1) 瘦 → ⎡ 疒 ⎤
          illness

hěn
2) 很 → ☐
_____

kù
3) 褲 → ☐
_____

chuān
4) 穿 → ☐
_____

dōu
5) 都 → ☐
_____

xiào
6) 校 → ☐
_____

7 Say in Chinese.

8 Draw an animal and describe it.

EXAMPLE:

māo yǒu dà dà de yǎn jing　　xiǎo xiǎo
猫有大大的眼睛、小小
de bí zi hé zuǐ ba　　māo yǒuzōng
的鼻子和嘴巴。猫有棕
sè de máo
色的毛。

72

9 CD T43 **Listen to the recording. Choose the correct pictures.**

10 Game.

INSTRUCTIONS:

1 The class is divided into small groups.

2 Each group is asked to find the other half to make a character.

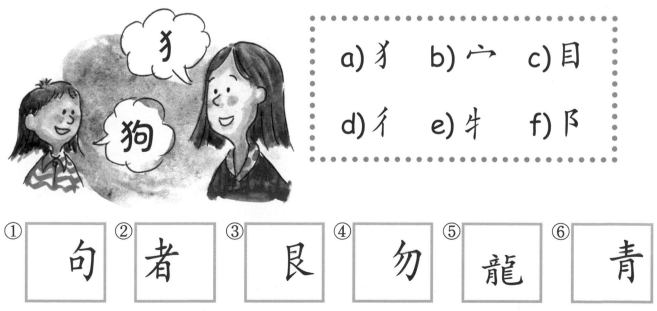

a) 犭   b) 宀   c) 目

d) 亻   e) 牜   f) 阝

① 句   ② 者   ③ 艮   ④ 勿   ⑤ 龍   ⑥ 青

11 Make short dialogues.

12 Game.

INSTRUCTIONS:

1 The class is divided into small groups.

2 Each group is expected to read out the pinyin correctly after some practice.

1) chuī   2) cuī   3) děi   4) dǎi
5) duī   6) guī   7) shéi   8) shuí
9) zǎi   10) zhǎi   11) ruì   12) rù

13 Count the strokes of each character.

gǒu
1) 狗 ___8___   2) yǎng 養 _____   3) mǎ 馬 _____

wù
4) 物 _____   5) zuǐ 嘴 _____   6) bí 鼻 _____

yú
7) 魚 _____   8) cháng 長 _____   9) men 們 _____

第十二課
dì shí èr kè

水果和蔬菜
shuǐ guǒ hé shū cài

CD T44

guānwén wen
關文文：你每天吃水果嗎？
nǐ měi tiān chī shuǐ guǒ ma

wáng tiān yī
王天一：我每天吃蘋果和香蕉。
wǒ měi tiān chī píng guǒ hé xiāng jiāo

guānwén wen
關文文：你喜歡吃什麼蔬菜？
nǐ xǐ huan chī shén me shū cài

wáng tiān yī
王天一：胡蘿蔔和黃瓜。
hú luó bo hé huáng gua

New words:

1 ^{měi} 每 every 　^{měi tiān} 每天 every day

2 ^{chī} 吃 eat

3 ^{shuǐ} 水 water

4 ^{guǒ} 果 fruit 　^{shuǐ guǒ} 水果 fruit

5 ^{píng} 蘋（苹） ^{guǒ} 果 apple

6 ^{xiāng} 香 fragrant

7 ^{jiāo} 蕉 broadleaf plants

　 ^{xiāng jiāo} 香蕉 banana

8 ^{shū} 蔬 vegetables

9 ^{cài} 菜 vegetable; dish

　 ^{shū cài} 蔬菜 vegetables

10 ^{hú} 胡 not native

11 ^{luó} 蘿（萝） a trailing plant

　 ^{luó bo} 蘿蔔（卜） radish; turnip

　 ^{hú luó bo} 胡蘿蔔 carrot

12 ^{guā} 瓜 melon 　^{huáng gua} 黃瓜 cucumber

1 Say in Chinese.

2 CD T45 Learn the phonetic symbols.

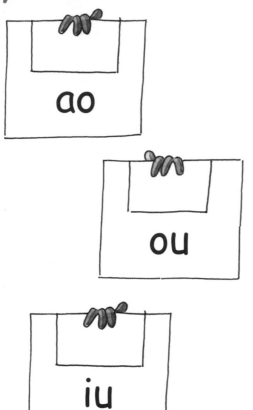

ao

ou

iu

3 Read aloud.

1)	bāo	báo	bǎo	bào
2)	chōu	chóu	chǒu	chòu
3)	niū	niú	niǔ	niù
4)	lāo	láo	lǎo	lào
5)	yōu	yóu	yǒu	yòu

4 CD T46 Listen to the recording. Tick what is true and cross what is false.

1) hǎo	2) tōu	3) miù	4) zǎo	5) pǎo
✓				

6) qiū	7) dào	8) sōu	9) róu	10) shào

5 Say in Chinese.

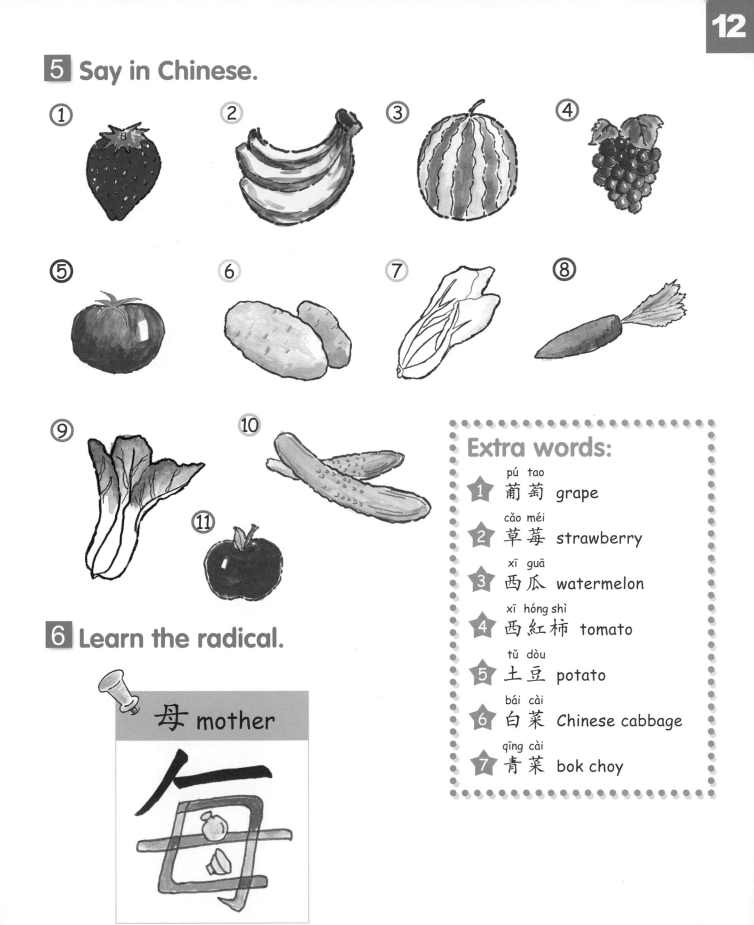

① ② ③ ④

⑤ ⑥ ⑦ ⑧

⑨ ⑩ ⑪

6 Learn the radical.

母 mother

每

Extra words:

pú tao
1 葡萄 grape

cǎo méi
2 草莓 strawberry

xī guā
3 西瓜 watermelon

xī hóng shì
4 西红柿 tomato

tǔ dòu
5 土豆 potato

bái cài
6 白菜 Chinese cabbage

qīng cài
7 青菜 bok choy

7  CD T47 Listen, clap and practise.

chī shuǐ guǒ   chī shuǐ guǒ
吃 水 果， 吃 水 果。

chī le xiāng jiāo   chī píng guǒ
吃 了 香 蕉、 吃 蘋 果。

chī shū cài   chī shū cài
吃 蔬 菜， 吃 蔬 菜。

chī le huáng gua   chī luó bo
吃 了 黃 瓜、 吃 蘿 蔔。

8 Game.

> **INSTRUCTIONS:**
> The teacher says one thing in Chinese, the students
> are expected to say the colour(s).

EXAMPLE:

lǎo shī   píng guǒ
老 師： 蘋 果

xué sheng   hóng sè
學 生 1： 紅 色

xué sheng   huáng sè
學 生 2： 黃 色

9 CD T48 **Listen to the recording. Choose the correct pictures.**

10 **Ask your partner the following questions.**

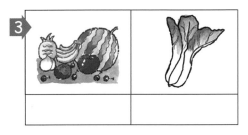

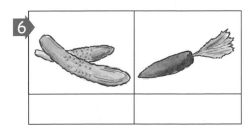

nǐ xǐ huan chuān xiào fú ma
1) 你喜歡 穿 校服嗎？

nǐ xǐ huan lán sè ma
2) 你喜歡 藍色嗎？

nǐ xǐ huan hóng sè ma
3) 你喜歡 紅色嗎？

nǐ xǐ huan yǎng yú ma
4) 你喜歡 養魚嗎？

nǐ xǐ huan yǎng māo ma
5) 你喜歡 養貓嗎？

nǐ xǐ huan yǎng gǒu ma
6) 你喜歡 養狗嗎？

nǐ xǐ huan chī píng guǒ ma
7) 你喜歡吃蘋果嗎？

nǐ xǐ huan chī xiāng jiāo ma
8) 你喜歡吃香蕉嗎？

nǐ xǐ huan chī huáng gua ma
9) 你喜歡吃黃瓜嗎？

nǐ xǐ huan chī hú luó bo ma
10) 你喜歡吃胡蘿蔔嗎？

11 Draw either fruit or vegetable which has the colour(s) given. Colour the pictures.

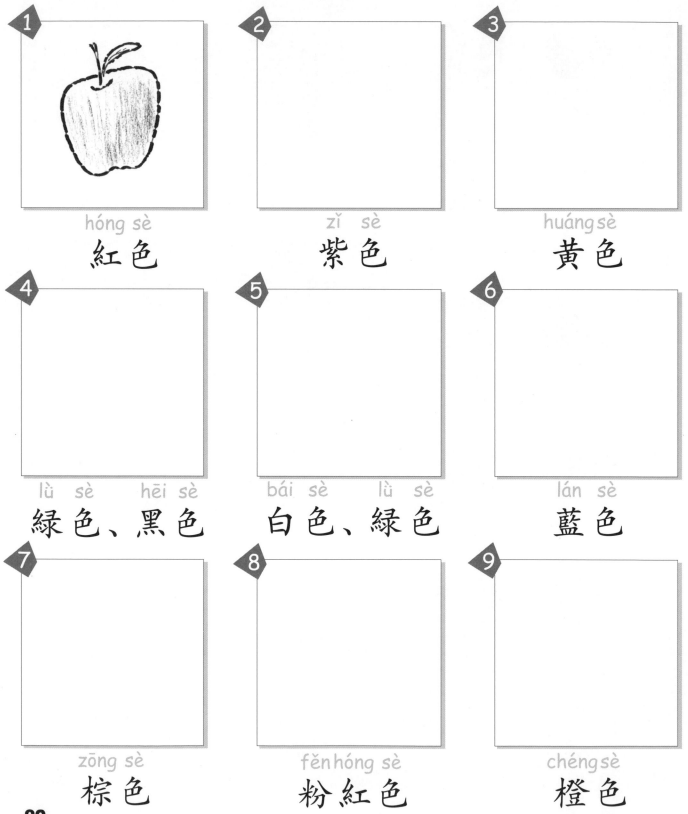

1

hóng sè
红色

2

zǐ sè
紫色

3

huáng sè
黄色

4

lǜ sè　hēi sè
绿色、黑色

5

bái sè　lǜ sè
白色、绿色

6

lán sè
蓝色

7

zōng sè
棕色

8

fěn hóng sè
粉红色

9

chéng sè
橙色

12 Read aloud the following sentences. Then say the meaning of each sentence.

mā ma　　měi tiān　　chī　　yí ge píng guǒ
1) 媽媽 / 每天 / 吃 / 一個蘋果。

mèi mei　　bù xǐ huan　　chī　　yú
2) 妹妹 / 不喜歡 / 吃 / 魚。

tā　　hěn xǐ huan　　chī　　huáng gua
3) 她 / 很喜歡 / 吃 / 黃瓜。

dì di　　xǐ huan　　hē　　guǒ zhī
4) 弟弟 / 喜歡 / 喝 / 果汁。

13 Game.

香蕉

?

> INSTRUCTIONS:
> The teacher whispers a word to one student. The word is whispered along to the last student who is expected to say that word correctly.

14 Read aloud the following phrases and say their meanings.

shuǐ guǒ　　zài jiàn　　míng zi　　xǐ huan　　huáng gua
1) 水果　2) 再見　3) 名字　4) 喜歡　5) 黃瓜

nán shēng　　yǎn jing　　shū cài　　qún zi　　měi tiān
6) 男生　7) 眼睛　8) 蔬菜　9) 裙子　10) 每天

tóu fa　　xiào fú　　yán sè　　kù zi　　hēi māo
11) 頭髮　12) 校服　13) 顏色　14) 褲子　15) 黑貓

dì shí sān kè
第十三課

xǐ huan hē shén me
喜歡喝什麼

CD T49

wáng tiān yī
王天一： nǐ xǐ huan chī shén me
你喜歡吃什麼？

guānwén wen
關文文： wǒ xǐ huan chī kuài cān
我喜歡吃快餐。

wǒ xǐ huan chī rè gǒu hé hàn bǎo bāo
我喜歡吃熱狗和漢堡包。

wáng tiān yī
王天一： nǐ xǐ huan hē shén me
你喜歡喝什麼？

guān wén wen
關文文： wǒ xǐ huan hē kě lè hé
我喜歡喝可樂和

guǒ zhī
果汁。

wáng tiān yī
王天一： nǐ xǐ huan chī shén me líng shí
你喜歡吃什麼零食？

guān wén wen
關文文： táng guǒ
糖果。

New words:

1. kuài 快 quick; fast
2. cān 餐 food; meal
   kuài cān 快餐 fast food
3. rè 熱（热） hot   rè gǒu 熱狗 hot dog
4. hàn 漢（汉） the Han nationality
5. bǎo 堡 castle
6. bāo 包 bag
   hàn bǎo bāo 漢堡包 hamburger
7. hē 喝 drink
8. kě 可 can
9. lè 樂（乐） happy   kě lè 可樂 coke
10. zhī 汁 juice   guǒ zhī 果汁 fruit juice
11. líng 零 zero
12. shí 食 food   líng shí 零食 snack
13. táng 糖 sugar; sweets
    táng guǒ 糖果 sweets; candy

1 CD T50 Learn the phonetic symbols.

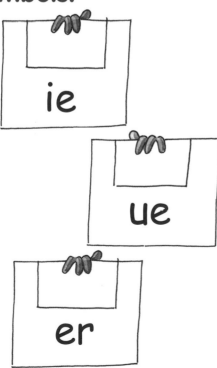

ie

ue

er

2 Read aloud.

1) biē	bié	biě	biè
2) jiē	jié	jiě	jiè
3) quē	qué	╱	què
4) xuē	xué	xuě	xuè
5) ╱	ér	ěr	èr

3 (CD)T51 **Listen to the recording. Circle the correct pinyin.**

1 (biē) diē

2 èr è

3 jué qué

4 xuě shuǐ

5 zuǐ zhuǐ

6 bō pō

7 gǎi gěi

8 miè mèi

4 **Learn the radicals.**

忄 feeling

雨 rain

米 rice

快

零

糖

5 **Count the strokes of each character.**

bǎo
1) 堡 12

rè
2) 熱 ____

cān
3) 餐 ____

hē
4) 喝 ____

zhī
5) 汁 ____

shí
6) 食 ____

6 CD T52 **Listen, clap and practise.**

rè gǒu　　 rè gǒu　　 hàn bǎo bāo
熱狗、熱狗、漢堡包，
wǒ zuì ài chī hàn bǎo bāo
我最愛吃漢堡包。
kě lè　　 kě lè　　 píng guǒ zhī
可樂、可樂、蘋果汁，
wǒ zuì ài hē píng guǒ zhī
我最愛喝蘋果汁。

7 **Read aloud the following sentences. Then say the meaning of each sentence.**

wǒ jiā　 yǒu　 liù kǒu rén
1) 我家／有／六口人。

bà ba　　 xǐ huan　　 hēi sè
2) 爸爸／喜歡／黑色。

mèi mei　 měi tiān　 chī　 táng guǒ
3) 妹妹／每天／吃／糖果。

hàn bǎo bāo　 hǎo chī
4) 漢堡包／好吃。

kuài cān　　 bù hǎo chī
5) 快餐／不好吃。

8 Say in Chinese.

① ② ③ ④

⑤ ⑥ ⑦ ⑧

⑨ ⑩

⑪

Extra words:

1	sān míng zhì 三明治	sandwich
2	shǔ tiáo 薯條	French fries
3	shǔ piàn 薯片	crisps
4	miàn bāo 麵包	bread
5	qiǎo kè lì 巧克力	chocolate
6	bīng qí lín 冰淇淋	ice-cream

9 Ask your classmates the following questions.

Questions	tóng xué yī 同學一	tóng xué èr 同學二
nǐ xǐ huan chī rè gǒu ma 1)你喜歡吃熱狗嗎？	xǐ huan 喜歡	
nǐ xǐ huan chī hàn bǎo bāo ma 2)你喜歡吃漢堡包嗎？		
nǐ xǐ huan chī líng shí ma 3)你喜歡吃零食嗎？		
nǐ xǐ huan chī táng guǒ ma 4)你喜歡吃糖果嗎？		
nǐ xǐ huan hē kě lè ma 5)你喜歡喝可樂嗎？		
nǐ xǐ huan hē guǒ zhī ma 6)你喜歡喝果汁嗎？		

10 Find the radical. Then say its meaning.

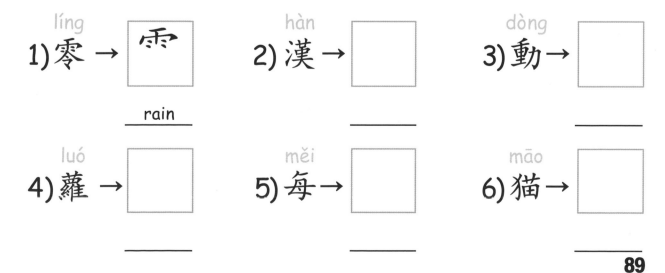

líng
1)零 → 雨
rain

hàn
2)漢 → ☐
___

dòng
3)動 → ☐
___

luó
4)蘿 → ☐
___

měi
5)每 → ☐
___

māo
6)猫 → ☐
___

11 Ask your partner the following questions.

nǐ xǐ huan shén me yán sè
1) 你喜歡什麼顏色？

nǐ xǐ huan chī shén me shuǐ guǒ
2) 你喜歡吃什麼水果？

nǐ xǐ huan chī shén me shū cài
3) 你喜歡吃什麼蔬菜？

nǐ xǐ huan hē shén me
4) 你喜歡喝什麼？

12 Draw vegetables in the colour given. Colour the pictures.

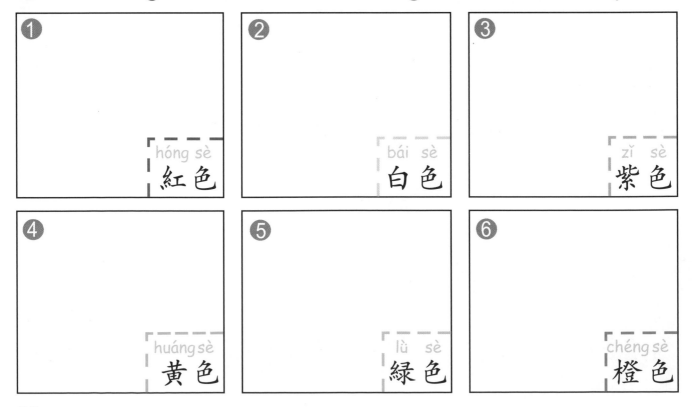

❶

hóng sè
紅色

❷

bái sè
白色

❸

zǐ sè
紫色

❹

huáng sè
黃色

❺

lǜ sè
綠色

❻

chéng sè
橙色

13 Read and match.

nǐ xǐ huan chī kuài cān ma
1) 你喜歡吃快餐嗎？●

nǐ xǐ huan hē shén me
2) 你喜歡喝什麼？ ●

nǐ chī líng shí ma
3) 你吃零食嗎？ ●

nǐ měi tiān chī shuǐ guǒ ma
4) 你每天吃水果嗎？●

wǒ měi tiān chī píng guǒ
● a) 我每天吃蘋果。

guǒ zhī
● b) 果汁。

hěn xǐ huan chī
● c) 很喜歡吃。

wǒ měi tiān chī táng guǒ
● d) 我每天吃糖果。

14 Game.

INSTRUCTIONS:

1 The class is divided into small groups.

2 Each group is asked to read the pinyin and tell the meaning of each phrase.

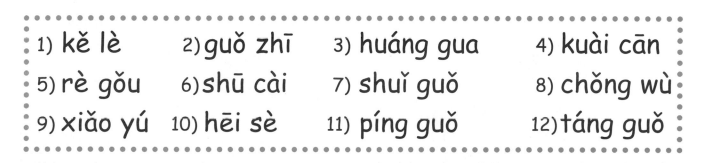

1) kě lè   2) guǒ zhī   3) huáng gua   4) kuài cān

5) rè gǒu   6) shū cài   7) shuǐ guǒ   8) chǒng wù

9) xiǎo yú   10) hēi sè   11) píng guǒ   12) táng guǒ

dì shí sì kè
第十四課
wǒ de shū bāo
我的書包

zhè shì wǒ de shū bāo　　wǒ de shū bāo li
這是我的書包。我的書包裏

yǒu shū　　běn zi hé wén jù hé　　wǒ de
有書、本子和文具盒。我的

wén jù hé li yǒu qiān bǐ　　là bǐ hé chǐ
文具盒裏有鉛筆、蠟筆和尺

zi　　hái yǒu xiàng pí
子，還有橡皮。

New words:

1 shū 書（书）book　shū bāo 書包 school bag

2 běn 本 book　běn zi 本子 notebook

3 jù 具 tool　wén jù 文具 stationery

4 hé 盒 box; case

　wén jù hé 文具盒 pencil case

5 qiān 鉛（铅）lead

6 bǐ 筆（笔）pen　qiān bǐ 鉛筆 pencil

7 là 蠟（蜡）wax　là bǐ 蠟筆 crayon

8 chǐ 尺 ruler　chǐ zi 尺子 ruler

9 hái 還（还）also

10 xiàng 橡 rubber tree

11 pí 皮 leather　xiàng pí 橡皮 eraser

---

1 ⓒⒹT54 **Learn the phonetic symbols.**

un

ün

2 **Read aloud.**

1) cūn	cún	cǔn	cùn
2) tūn	tún	tǔn	tùn
3) yūn	yún	yǔn	yùn
4) lūn	lún	lǔn	lùn
5) xūn	xún	╱	xùn
6) sūn	╱	sǔn	╱

3 Say in Chinese.

Extra words:

juǎn bǐ dāo
1 卷筆刀 pencil sharpener

rì jì běn
2 日記本 diary (book)

liàn xí běn
3 練習本 exercise-book

kè běn
4 課本 textbook

cǎi sè bǐ
5 彩色筆 colour pencils

jiǎn dāo
6 剪刀 scissors

gù tǐ jiāo
7 固體膠 glue stick

4 Learn the radicals.

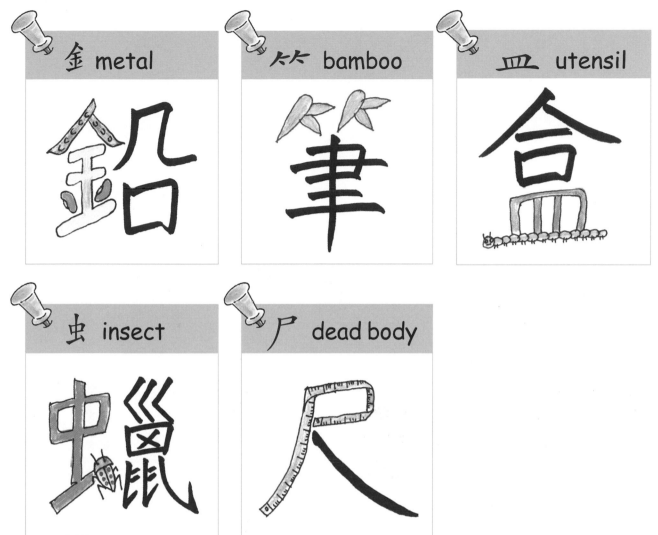

金 metal

竹 bamboo

皿 utensil

虫 insect

尸 dead body

5 Find the radical and count the strokes of each character.

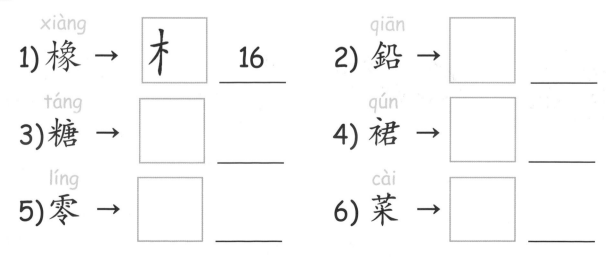

xiàng
1) 橡 → 木 16

qiān
2) 鉛 →

táng
3) 糖 →

qún
4) 裙 →

líng
5) 零 →

cài
6) 菜 →

6 Add one word to make a phrase. You may write pinyin.

1) 蠟筆 là
2) 書___ shū
3) 橡___ xiàng
4) 尺___ chǐ

5) 蘋___ píng
6) 果___ guǒ
7) 香___ xiāng
8) 黃___ huáng

9) 眼___ yǎn
10) 鼻___ bí
11) 嘴___ zuǐ
12) 頭___ tóu

7 CD T55 Listen to the recording. Tick what is true and cross what is false.

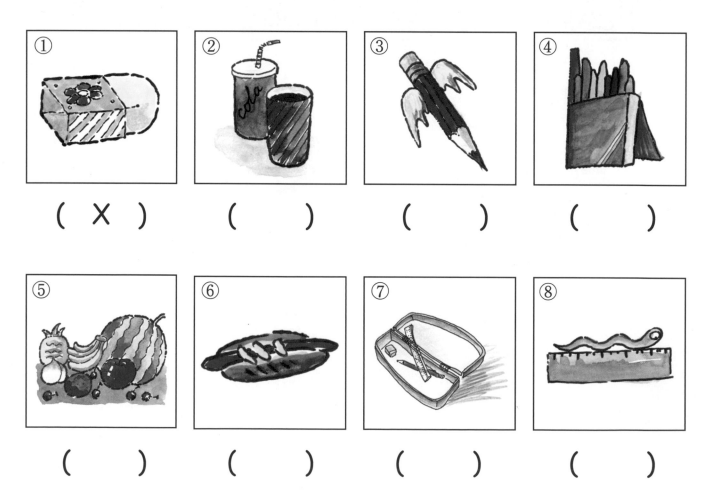

① (X) ② ( ) ③ ( ) ④ ( )

⑤ ( ) ⑥ ( ) ⑦ ( ) ⑧ ( )

8 Colour the pictures and name in Chinese each of the following.

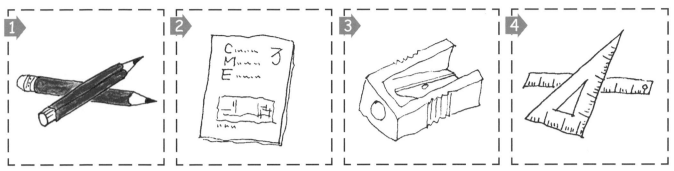

hóng sè   de qiān bǐ

紅色的鉛筆

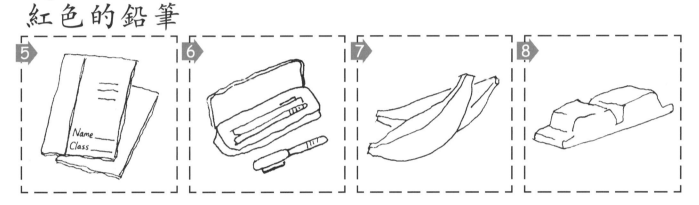

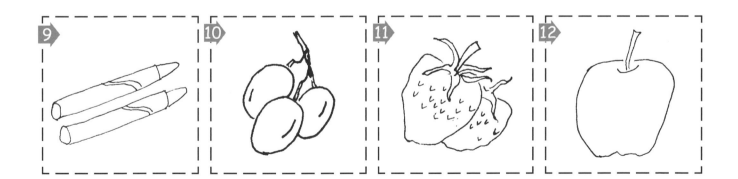

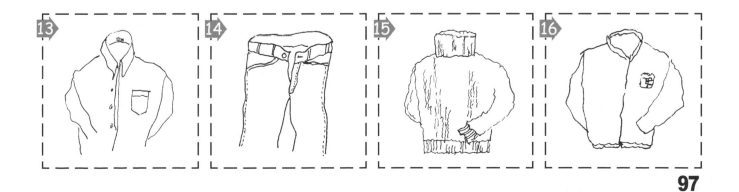

9 Look, read and match.

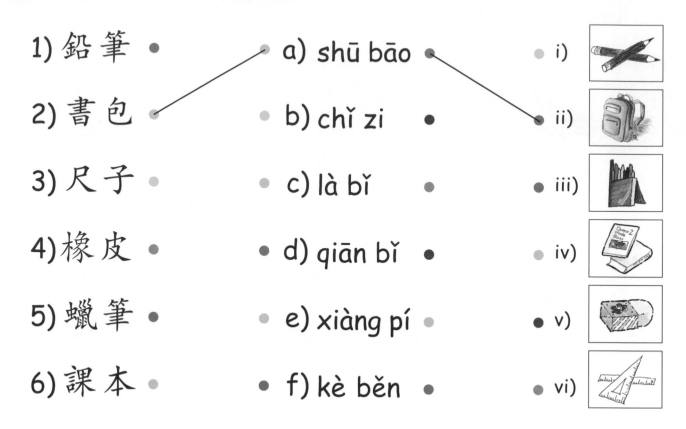

1) 鉛筆 •　　• a) shū bāo •　　• i)

2) 書包 •　　• b) chǐ zi •　　• ii)

3) 尺子 •　　• c) là bǐ •　　• iii)

4) 橡皮 •　　• d) qiān bǐ •　　• iv)

5) 蠟筆 •　　• e) xiàng pí •　　• v)

6) 課本 •　　• f) kè běn •　　• vi)

10 CD T56 Listen, clap and practise.

shū bāo li yǒu gè wén jù hé
書包裏有個文具盒。
wén jù hé li yǒu xiàng pí
文具盒裏有 橡皮，
yǒu chǐ zi yǒu là bǐ
有尺子，有蠟筆。
xiàng pí chǐ zi hé là bǐ
橡皮、尺子和蠟筆。

11 Colour the picture. Count the number of pencils.

IT IS YOUR TURN!

Draw a picture with pencils hidden. Ask your partner to colour your picture and find how many pencils there are.

12 Ask your partner the following questions.

nǐ de shū bāo li yǒu shén me
1)你的書包裏有什麼?

nǐ de wén jù hé li yǒu shén me
2)你的文具盒裏有什麼?

13 Read aloud the following sentences. Then say the meaning of each sentence.

1)　　　wǒ de　　shū bāo li　　méi yǒu　　là bǐ
我 的 ／ 書 包 裏 ／ 沒 有 ／ 蠟 筆 。

2)　wén jù hé li　　yǒu　　qiān bǐ　　chǐ zi　　hé　　xiàng pí
文 具 盒 裏 ／ 有 ／ 鉛 筆 、／ 尺 子 ／ 和 ／ 橡 皮 。

3)　bà ba　　bù xǐ huan　　chī　kuài cān　　mā ma　　xǐ huan　chī
爸 爸 ／ 不 喜 歡 ／ 吃 ／ 快 餐 ，／ 媽 媽 ／ 喜 歡 ／ 吃 。

4)　dì di　　hé　　mèi mei　　dōu xǐ huan　　chī　táng guǒ
弟 弟 ／ 和 ／ 妹 妹 ／ 都 喜 歡 ／ 吃 ／ 糖 果 。

5)　wǒ　　měi tiān　　chī　　shū cài　　hé　shuǐ guǒ
我 ／ 每 天 ／ 吃 ／ 蔬 菜 ／ 和 ／ 水 果 。

14 Game.

喜歡

我喜歡吃蘋果。

INSTRUCTIONS:

1 The whole class may join the game.

2 Student A picks up a card with a phrase on it. Student B uses the phrase to make a sentence.

3 Those who do not make the correct sentence are out of the game.

EXAMPLE:

　xǐ huan　　　　wǒ　xǐ huan chī píng guǒ
喜 歡 → 我 喜 歡 吃 蘋 果 。

15 Name the things and the colours in the picture below.

IT IS YOUR TURN!

Draw a picture with all the things in the box.
Colour the picture.

Things to be included in the picture:

shū bāo	xiàng pí	chǐ zi	qiān bǐ
書包	橡皮	尺子	鉛筆

xiǎo gǒu	xiǎo māo	wén jù hé
小狗	小猫	文具盒

dì shí wǔ kè
第十五課
wǒ de jiā
我的家

CD T57

zhè shì wǒ de jiā
這是我的家。
wǒ jiā yǒu liǎng jiān
我家有兩間
wò shì　　　hái yǒu
臥室，還有
kè tīng　　yù shì
客廳、浴室、
chú fáng hé shū fáng
廚房和書房。

New words:

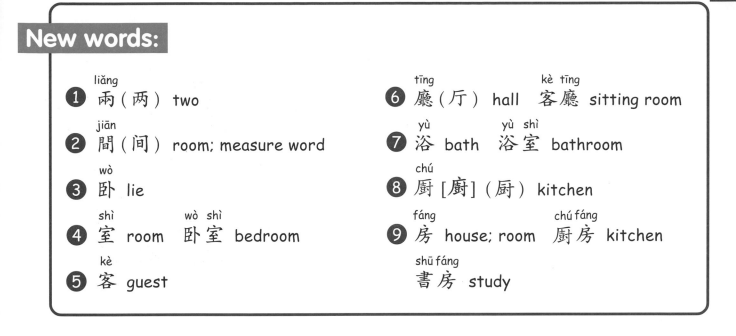

1. liǎng 兩（两）two
2. jiān 間（间）room; measure word
3. wò 卧 lie
4. shì 室 room　wò shì 卧室 bedroom
5. kè 客 guest

6. tīng 廳（厅）hall　kè tīng 客廳 sitting room
7. yù 浴 bath　yù shì 浴室 bathroom
8. chú 厨 [厨]（厨）kitchen
9. fáng 房 house; room　chú fáng 厨房 kitchen
   shū fáng 書房 study

---

1 CD T58 **Learn the phonetic symbols.**

an

en

in

2 Read aloud.

1) chān　chán　chǎn　chàn
2) fān　fán　fǎn　fàn
3) gēn　gén　gěn　gèn
4) shēn　shén　shěn　shèn
5) pīn　pín　pǐn　pìn
6) yīn　yín　yǐn　yìn

3 CD T59 **Listen, clap and practise.**

wǒ jiā yǒu wò shì　　yǒu wò shì
我家有卧室，有卧室，

yǒu kè tīng　　yǒu yù shì
有客廳，有浴室。

wǒ jiā yǒu chú fáng　　yǒu chú fáng
我家有廚房，有廚房，

hái yǒu yì jiān dà shū fáng
還有一間大書房。

4 CD T60 **Listen to the recording and write the tone on each of the following pinyin.**

1 zān _____

2 wen _____

3 qin _____

4 chen _____

5 sen _____

6 ben _____

7 jin _____

8 min _____

9 fen _____

10 yan _____

11 kan _____

12 bin _____

5 **Learn the radicals.**

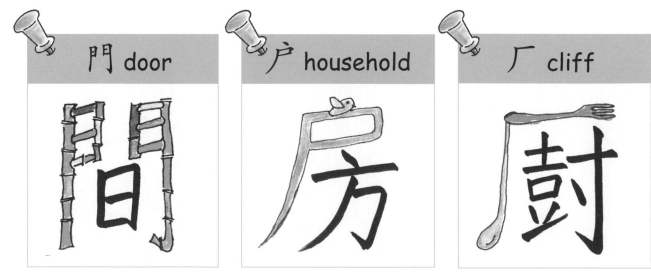

門 door　　戶 household　　厂 cliff

104

6 Game.

INSTRUCTIONS:

1 The class is divided into small groups.

2 Each group is asked to find the other half to make a character.

a) 門　　b) 宀　　c) 氵　　d) 金　　e) 皿

f) 米　　g) 目　　h) 雨　　i) 月　　j) 扌

① 間　② 垂　③ 谷　④ 各　⑤ 台

⑥ 合　⑦ 半　⑧ 令　⑨ 唐　⑩ 象

7 Say in Chinese.

Extra words:

1 **餐廳** cān tīng dining room

2 **厠所** cè suǒ toilet

3 **陽台** yáng tái balcony

4 **花園** huā yuán garden

IT IS YOUR TURN!

Draw your house/apartment and colour your picture.

8 Say in Chinese.

9 Read aloud the following pinyin and say the meaning of each phrase.

1) yán sè	2) xiào fú	3) nán shēng	4) yǎn jing
5) chèn shān	6) tóu fa	7) dòng wù	8) shū cài
9) shuǐ guǒ	10) kuài cān	11) líng shí	12) guǒ zhī

🔟 Speaking practice.

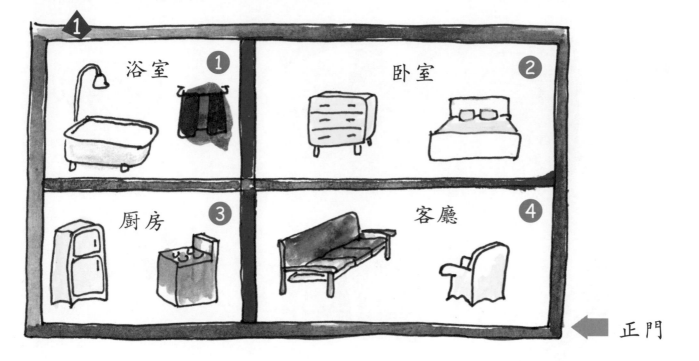

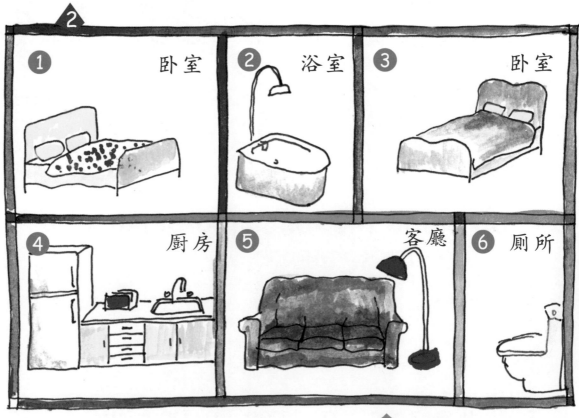

陽台 ①
② 卧室
③ 浴室
④ 客廳
⑤ 厨房
正門

11 Ask your partner the following questions.

nǐ jiào shén me míng zi　　nǐ jǐ suì
1) 你叫什麼名字？你幾歲？

nǐ jiā yǒu jǐ kǒu rén　　nǐ jiā yǒu shuí
2) 你家有幾口人？你家有誰？

nǐ jiā yǒu jǐ jiān wò shì　　nǐ de fáng jiān dà ma
3) 你家有幾間卧室？你的房間大嗎？

nǐ xǐ huan shén me yán sè
4) 你喜歡什麼顏色？

nǐ xǐ huan yǎng shén me chǒng wù
5) 你喜歡養什麼寵物？

nǐ de shū bāo li yǒu shén me
6) 你的書包裏有什麼？

12 Game.

INSTRUCTIONS:

1 The whole class may join the game.

2 The teacher names one item of a particular category, and the students add more to it.

3 Those who do not add any or add wrong items are out of the game.

13 Rearrange the word order and make sentences.

liǎng jiān wò shì   yǒu   wǒ jiā
1) 兩 間 卧 室   有   我 家 。
☐   ☐   1

yǒu   qiān bǐ   wǒ   hé   xiàng pí
2) 有   鉛 筆   我   和   橡 皮 。
☐   ☐   ☐   ☐   ☐

shì   bà ba de shū fáng   zhè
3) 是   爸 爸 的 書 房   這 。
☐   ☐   ☐

14 **Count the strokes and find the radicals.**

chú
1) 厨 __14__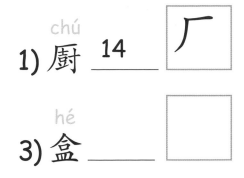

jiān
2) 間 _____ ☐

hé
3) 盒 _____ ☐

chǐ
4) 尺 _____ ☐

15 **Game.**

> **INSTRUCTIONS:**
>
> 1 The class is divided into small groups.
>
> 2 Each group is asked to add one word to form a phrase. The students may write characters if they can, otherwise write pinyin.

EXAMPLE:

xiàng
橡 __pí__

wò
1) 卧 _____

chǐ
2) 尺 _____

kè
3) 客 _____

tóu
4) 頭 _____

shū
5) 書 _____

là
6) 蠟 _____

zuǐ
7) 嘴 _____

kě
8) 可 _____

guǒ
9) 果 _____

dòng
10) 動 _____

xiào
11) 校 _____

wǒ
12) 我 _____

dì shí liù kè
第十六課
wǒ de fáng jiān
我的房間

CD T61

zhè shì wǒ de fáng jiān　　wǒ de fáng
這是我的房間。我的房

jiān li yǒu chuáng　yī guì　shū zhuō hé yǐ zi　hái yǒu
間裏有床、衣櫃、書桌和椅子，還有

diàn nǎo　　wǒ de fáng jiān li méi yǒu diàn shì jī
電腦。我的房間裏沒有電視機。

New words:

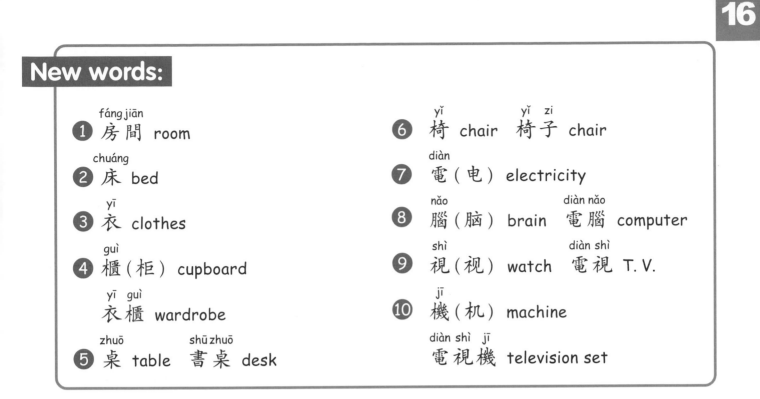

1 房間 *fáng jiān* room

2 床 *chuáng* bed

3 衣 *yī* clothes

4 櫃（柜） *guì* cupboard

衣櫃 *yī guì* wardrobe

5 桌 *zhuō* table 書桌 *shū zhuō* desk

6 椅 *yǐ* chair 椅子 *yǐ zi* chair

7 電（电） *diàn* electricity

8 腦（脑） *nǎo* brain 電腦 *diàn nǎo* computer

9 視（视） *shì* watch 電視 *diàn shì* T. V.

10 機（机） *jī* machine

電視機 *diàn shì jī* television set

1 CD T62 **Learn the phonetic symbols.**

ang   eng   ing   ong

2 Read aloud.

1) chāng   cháng   chǎng   chàng
2) mēng   méng   měng   mèng
3) xīng   xíng   xǐng   xìng
4) yōng   yóng   yǒng   yòng
5) pēng   péng   pěng   pèng
6) qīng   qíng   qǐng   qìng

3 CD T63 **Listen, clap and practise.**

wǒ de fáng jiān dà   wǒ de fáng jiān hǎo
我 的 房 間 大 ， 我 的 房 間 好 。

wǒ de fáng li yǒu diàn nǎo
我 的 房 裏 有 電 腦 ，

yǒu mù chuáng   yǒu zhuō yǐ
有 木 床 ， 有 桌 椅 ，

hái yǒu yī guì   diàn shì jī
還 有 衣 櫃 、 電 視 機 。

4 **Learn the radicals.**

广 shelter 床

衤 ritual 視

5 **Add a pinyin to make a phrase.**

1) chǐ zi	2) gē ____	3) yán ____	4) tóu ____
5) xiào ____	6) rè ____	7) xiǎo ____	8) xiàng ____
9) kě ____	10) shū ____	11) là ____	12) zuǐ ____

6 Say in Chinese.

Extra words:

1
shā fā
沙發 sofa

2
shū jià
書架 bookshelf

3
chuáng tóu guì
床頭櫃 bedside cabinet

4
kōng tiáo
空調 air conditioner

5
tái dēng
台燈 desk lamp

115

7  Listen to the recording. Tick what is true and cross what is false.

(✓)

( )

( )

( )

8 Game.

INSTRUCTIONS:

1 The teacher prepares some cards with Chinese words on them.

2 Each student is given a card. The students take turns going up to the board to draw a picture of the word.

3 The rest of the class guesses what the picture is and say it in Chinese.

Words on the cards:

fáng zi	diàn nǎo	qiān bǐ
房子	電腦	鉛筆
xiàng pí	chǐ zi	diàn shì jī
橡皮	尺子	電視機
píng guǒ	zuǐ ba	gǒu
蘋果	嘴巴	狗……

Card:

mǎ
馬

A drawing on the board:

9 Say the numbers according to the patterns.

yī　　sān　　wǔ　　　　　　　　　　shí wǔ
1) 一、三、五……………………十五

èr　　sì　　liù　　　　　　　　　　èr shí
2) 二、四、六……………………二十

10 Draw pictures and colour them.

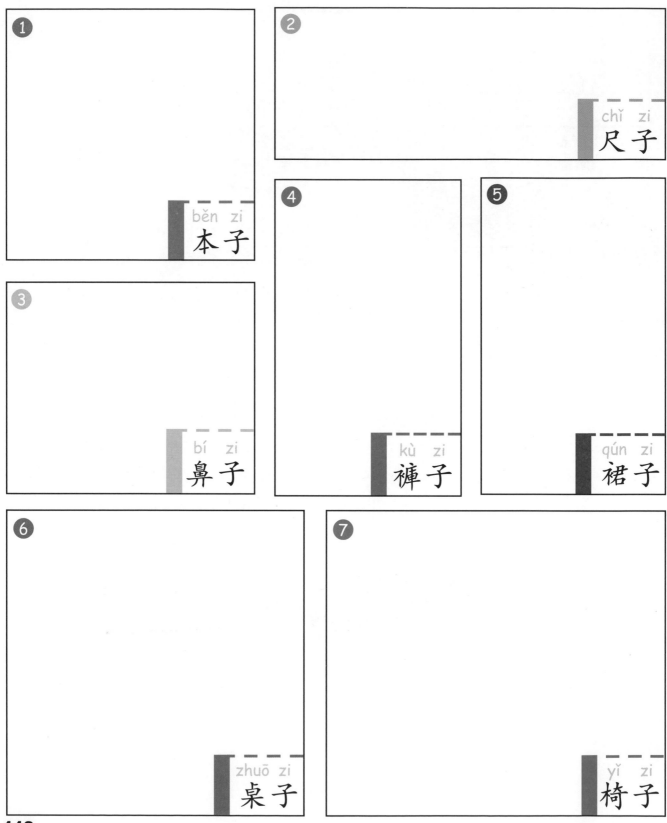

① běn zi 本子

② chǐ zi 尺子

③ bí zi 鼻子

④ kù zi 裤子

⑤ qún zi 裙子

⑥ zhuō zi 桌子

⑦ yǐ zi 椅子

11 Game.

INSTRUCTIONS:

1 The class is divided into small groups.

2 Each group is asked to write radicals. The group writing more radicals than any other groups in the shortest period of time wins the game.

①	②	③	④	⑤	⑥
napkin	speech	walk	crops	water	grass

12 Describe the picture in Chinese.

13 Draw pictures and tell the class what you have drawn.

1
wǒ de shū bāo li yǒu
我的書包裏有……

2
wǒ de shū zhuō shang yǒu
我的書桌上有……

3
wǒ de fáng jiān li yǒu
我的房間裏有……

4
wǒ men jiā yǒu
我們家有……